Corpos secos

Luisa Geisler
Marcelo Ferroni
Natalia Borges Polesso
Samir Machado de Machado

Corpos secos

Um romance

Copyright © 2020 by Luisa Geisler, Marcelo Ferroni, Natalia Borges Polesso e Samir Machado de Machado

Grafia atualizada segundo o Acordo Ortográfico da Língua Portuguesa de 1990, que entrou em vigor no Brasil em 2009.

Capa
Celso Longo

Imagem de capa
Stanley Donwood

Preparação
Lígia Azevedo

Revisão
Marise Leal
Camila Saraiva

Os personagens e as situações desta obra são reais apenas no universo da ficção; não se referem a pessoas e fatos concretos, e não emitem opinião sobre eles.

Dados Internacionais de Catalogação na Publicação (CIP)
(Câmara Brasileira do Livro, SP, Brasil)

Corpos secos : um romance / Luisa Geisler... [et al.]. — 1ª ed. — Rio de Janeiro : Alfaguara, 2020.

Outros autores : Marcelo Ferroni, Natalia Borges Polesso, Samir Machado de Machado
ISBN: 978-85-5652-102-6

1. Ficção brasileira I. Geisler, Luisa. II. Ferroni, Marcelo. III. Polesso, Natalia Borges. IV. Machado, Samir Machado de.

20-33493   CDD-B869.3

Índice para catálogo sistemático:
1. Ficção : Literatura brasileira   B869.3

Cibele Maria Dias – Bibliotecária – CRB-8/9427

[2020]
Todos os direitos desta edição reservados à
EDITORA SCHWARCZ S.A.
Praça Floriano, 19, sala 3001 — Cinelândia
20031-050 — Rio de Janeiro — RJ
Telefone: (21) 3993-7510
www.companhiadasletras.com.br
www.blogdacompanhia.com.br
facebook.com/editora.alfaguara
instagram.com/editora_alfaguara
twitter.com/alfaguara_br

E eu acho, meu caro, que cada um de nós tem nas suas mais remotas cavernas interiores um troglodita adormecido que, submetido a um certo tipo de estímulo, vem rapidamente à tona de nosso ser e se transforma num déspota totalitário capaz de todas as bestialidades.
Erico Verissimo, *Incidente em Antares*

Mateus

No princípio era o caos e a urgência; vieram então as semanas do medo, mergulhando aos poucos num silêncio moribundo; reina agora a paz da cidade morta. Da janela de seu quarto no hospital, Mateus olha São Paulo pensando que, no fundo, a cidade foi feita para se tornar ruína. Há beleza nisso.

Romero abre a porta e entra.

— Pronto, encontrei. Vamos, então?

Mateus o vê exibir o pacote de camisinha como um troféu. Romero o abraça e puxa a camisa dele para fora da calça. De um modo apressado, Mateus abre o botão e a braguilha, então puxa a calça para baixo, até a altura dos joelhos, virando-se de costas e curvando-se sobre a cama alta. Romero tira o colete de policial federal e também abre a calça, que tomba no chão com o peso do cinto e do coldre. Coloca a camisinha, passa o lubrificante em Mateus e o fode com uma veemência indiferente e distante, enterrando até os colhões. Mateus agarra os lençóis gemendo de prazer e alívio por se sentir vivo outra vez, após semanas trancado naquele ciclo infinito de exames.

Quando termina, Romero sai de dentro dele e lhe dá uma palmada no traseiro. Tira a camisinha e joga no lixo. Os dois se recompõem, subindo calças e fechando braguilhas.

— Tá tudo bem mesmo, não é?

Mateus ergue os ombros.

— Você ouviu a dra. Sandra. Suor e saliva não são problema, só precisa tomar cuidado com sangue. E sêmen.

— Beleza, então.

Romero lhe dá um beijo protocolar e rápido. Na porta, ao sair, pede:

— Não vai comentar isso com a chefe, certo? Ela vai me encher o saco se souber. "Onde se ganha o pão…", essas coisas.

— Claro que não. Não te preocupa.

— Certo. Tenho que ir, cara.

— Vai lá, tranquilo.

Na sala de conferências, a dra. Sandra alinha com o resto da equipe o andamento da pesquisa. Recapitula o quadro do paciente, que se mantém estável passados quatro meses desde sua contaminação, sem apresentar nenhum dos sinais típicos da doença, como coágulos no sangue. Como explicar isso? O paciente não possui histórico de doenças metabólicas como diabetes nem estava submetido a nenhum tipo de tratamento médico. Tem uma vida sexual comum para um jovem de vinte e cinco anos, sem nenhum histórico de doença infecciosa pregressa. Possui bom condicionamento físico e pratica esportes regularmente. Não mantém nenhum hábito alimentar incomum, exceto preferir alimentos orgânicos, mesmo que de modo não exclusivo. Ainda não conseguiram encontrar nada que explique como seu corpo, mesmo contaminado por aquela versão mutante de *Baculovirus anticarsia*, não desenvolveu nenhum dos sintomas da síndrome de Matheson-França, o popular "corpo seco".

Em outras palavras, ninguém sabe dizer por que Mateus continua vivo.

É estranho escutar falarem de si como se ele próprio não estivesse ali na sala, na frente de todos. Mateus conhece todos os vinte médicos da equipe, e acompanhou de perto o avanço individual no estudo de cada um. Talvez seja o único ali, além da dra. Sandra, a ter uma noção completa do próprio quadro.

Faz poucos dias que foi liberado para sair da ala de isolamento, onde viveu os últimos meses. Tem aproveitado o tempo livre caminhando pelos corredores, se exercitando, às vezes subindo ao terraço para respirar pela primeira vez o ar puro em São Paulo.

E, agora, trepando às escondidas com Romero. Não que seja um completo segredo: a dra. Sandra sabe. Ele não seria irresponsável de esconder algo assim dela.

Romero está ali na sala também, parado à porta de braços cruzados, escutando tudo com atenção. Mateus olha para ele e sorri, e o agente sorri de volta. Seu trabalho é cuidar da segurança pessoal de Mateus. Responde diretamente a Tulipa, a delegada federal que coordena a equipe de dez agentes que protegem a equipe médica ali dentro.

Sandra termina sua fala.

— Alguém tem alguma pergunta?

Uma mão se ergue, uma pergunta é feita. Mateus se entedia e olha pela janela, para a cidade morta se movendo lá embaixo. Seu olhar se acostumou a considerar aqueles vagares errantes como parte da paisagem, algo distante da sua vida e ao qual se tornou indiferente. Tem pensado bastante na família. Quando a mãe morreu de câncer dois anos antes, pensou ser o pior momento de sua vida. Agora ficava aliviado por ela não estar mais ali, não ter que passar por tudo aquilo, saber que o filho mais velho, a nora e os netos estavam todos mortos. Ou pior, vagando por aí.

Ainda tem a família paterna, se é que dá para continuar classificando como família. Mateus é apegado a Murilo, irmão caçula do segundo casamento do seu pai. Mesmo que o velho já tivesse se divorciado mais uma vez e seguido adiante, Mateus mantinha contato constante com o meio-irmão, naquela conexão peculiar que resultara da vida afetiva errante típica dos homens da geração de seu pai. Toda vez que se encontravam, Mateus dava um chocolate para Murilo. Era uma coisa dos dois: ele ser "o irmão do chocolate". Na última vez que o viu, pouco antes de ser recolhido àquele hospital, Murilo começou a chorar. Mateus entregou seus três peixes para o menino, prometendo que em troca de cuidar bem deles ia lhe dar uma caixa inteira de chocolates.

Mas isso foi antes do apagão. Dois meses atrás, caiu a internet. Em seguida, foram as emissoras de TV que saíram do ar. Algumas semanas atrás, as de rádio. E já faz alguns dias que não se consegue contato por rádio com algumas das bases militares mais afastadas. Mateus tenta não pensar no que isso significa.

Há algo de incomum lá fora hoje, uma aglomeração ligeiramente maior e mais ordenada. Os médicos seguem conversando. Ele os ignora e se aproxima da janela. Romero nota sua distração.

— Mateus, não fica tão perto da janela.

— O que está acontecendo lá embaixo?

Os médicos param de conversar e se voltam para Mateus. Romero leva a mão ao fone no ouvido e resmunga algo.

— Certo. Eu levo ele. Mateus, vamos.

— Por quê? O que está acontecendo?

— Ele está lá embaixo de novo. Vou te levar para a área segura, por via das dúvidas. Doutora, a Tulipa pediu para falar com a senhora. É urgente.

Romero pousa a mão nas costas de Mateus e pede que o acompanhe.

— Ele quem? O cara do megafone de novo?

— O próprio.

— Mas é só um cara com um megafone. Que risco tem nisso?

— Ah, Mateus. A gente não pode contar tudo para você. Ordens da doutora. Ela disse que você estava, ah… tendo um quadro de ansiedade.

— Certo, mas eu estou melhor agora. Conta logo, porra.

Nos meses que passou isolado na ala de infecções, Mateus podia escutar o eco distante daquela voz no megafone. Não entendia como alguém podia sobreviver lá fora fazendo tanto barulho, mas, de algum modo, o sujeito conseguia. De dentro do hospital não dava para escutar direito o que ele dizia, mas parecia algum tipo de oração ou pregação religiosa, o que valeu ao sujeito o apelido, entre a equipe médica, de Pastor dos Mortos.

Romero aponta algo na paisagem.

— Acho que dessa janela dá para enxergar.

No início da contaminação, quando a epidemia se espalhou tão rápido que o pânico entre a população se revelou um problema tão grande quanto a mobilidade dos corpos secos, a área ao redor do hospital fora cercada por um muro de concreto e cercas elétricas. A equipe de agentes federais de Tulipa cuidava da segurança interna do prédio do hospital, mas todo o perímetro externo estava sob proteção de um coronel do Exército e cerca de vinte soldados. Mateus nunca vira nenhum deles, e mesmo o contato entre a equipe interna e os soldados se dava somente após uma série de procedimentos de triagem e desinfecção. Para além do perímetro estava a cidade morta, com os corpos secos andando a esmo em matilhas, caçando os poucos sobreviventes, até que seu ciclo de vida se completasse e eles tombassem imóveis. Por fim, estouravam em bolsas de esporos de vida curta em contato com o ar, mas que eram um risco a qualquer um que as aspirasse num raio de vinte metros. Por semanas, o hospital cercado se tornou uma das poucas ilhas de vida em São Paulo.

Exceto que agora alguma coisa está diferente.

Os corpos secos estão todos parados, olhando na direção do hospital. Quando enfim se movem, o fazem de modo coordenado, como um rebanho de ovelhas conduzido no pasto. No meio deles, intocado, há um carro de som, cujos alto-falantes reproduzem a ladainha do Pastor dos Mortos.

Romero solta um resmungo.

— Que merda, parece que tem cada vez mais deles.

— Ele está lá? Dentro daquele carro?

— Não sabemos. Pode ser ele, pode ser alguém diferente dirigindo e ser só uma gravação. Não tem como saber. E o carro é blindado.

— Como sabem disso?

— Já atiramos nele. Mas só serviu para deixar os corpos secos agressivos. Tentaram um ataque ao perímetro algumas semanas atrás. Você não ficou sabendo, claro. Mas as coisas ficam tensas sempre que o Pastor aparece.

— Você está dizendo que ele controla os corpos secos?

— De alguma forma. Não é bem um controle. Ele meio que os direciona para um lado ou outro. E eles nunca atacam o carro. Não sabemos como. Talvez seja algum tipo de infrassom.

Mateus o encara.

— Você quer dizer ultrassons? Tipo o exame? Porque esse hospital tem um monte de equipamentos que podem estar causando algum tipo de...

Romero balança a cabeça em negação. Não, ele está se referindo a infrassons mesmo. Um tipo de som muito baixo, que o ouvido não escuta. Leu uma vez na internet sobre como os tigres emitem sons que podem paralisar uma presa, até mesmo humanos.

— "Li na internet"...

— Saudades, internet.

— Já falou disso para alguém?

Romero balança os ombros.

— Não. Talvez seja bobagem. Acha que devo?

— Não custa. Um dos médicos da equipe que cuida de mim é otorrino. O dr. Peçanha. Pergunta pra ele.

O Pastor dos Mortos começa a pregação. É mesmo um discurso religioso, recitando trechos do Apocalipse acompanhado de música sacra: *Eis que estou à porta e bato, e se alguém ouvir a minha voz e abrir a porta entrarei e cearei com ele, e ele comigo.* Ao final, concluiu: *Venha para fora, Mateus.*

Mateus recua da janela apavorado.

— Ele sabe meu nome? Como ele sabe meu nome?

— Calma, Mateus.

— Porra, Romero. Ele sabe meu nome! Por que ninguém me falou isso?

Romero o segura pelos ombros, tentando acalmá-lo.

— Calma, Mateus. Já discutimos isso internamente. Ele sabe o nome de outras pessoas aqui, mas não de todos. Deve ter pego nossa frequência de rádio. O cara sabe que temos um paciente infectado sem sintomas. Temos vinte homens armados lá embaixo com um blindado, e um ônibus de turismo na garagem pronto para fuga, caso algo sério aconteça. Fique calmo, está bem? Temos tudo sob controle.

São muitas perguntas a serem feitas: o que aquele homem, seja quem for, imagina que fará com Mateus se o pegar? As pregações em frente ao perímetro do hospital vinham ocorrendo com frequência regular e previsível nas últimas semanas. Mas agora há mais corpos secos ao redor do perímetro, e um senso de urgência maior no tom da pregação. Algo mudou.

A ladainha se encerra, o carro do Pastor dos Mortos manobra e vai embora, atraindo a manada de corpos secos atrás de si de um modo quase magnético. Mas, conforme o carro se distancia, é como se perdesse seu campo de influência; os mortos se põem a vagar a esmo, e o silêncio volta a tomar conta da cidade morta.

Murilo

Minha mãe disse que era pra botar o peixe fora. Mas a mãe também sempre diz pra ouvir os adultos. E o Mateus disse pra eu cuidar do Baleia. E o Mateus é adulto. Então eu não sei quem ganha. O Mateus é maior que minha mãe, não que ela seja grande. Mas o Mateus é mais forte. O Cauã dizia que a gente podia fazer um assado do Baleia uma hora dessas. Adultos falam muita coisa e acham que têm muita razão.

Mas o Baleia tá bem e não pesa nada. Ele continua bem. A gente não tá, sei lá, precisando de um Tupperware livre pra carregar comida.

Eu sabia que o que incomodava a mãe é que eu poderia carregar outra coisa. Eu uso as duas mãos pra carregar o Tupperware com o Baleia dentro. A mãe costumava usar o Tupperware pra temperar peixe, e eu achei que ele fosse se sentir em casa. Comecei a achar uma ideia meio idiota, porque enchi o pote com água do aquário e nem sei se peixes farejam qualquer coisa. Mas é que foi rápido demais, não deu tempo pra pensar.

A moça no alto-falante da Base Aérea tava falando alguma coisa, e aí a mãe começou a gritar pelo Cauã. Foi um daqueles gritos em que ela quer parecer tensa só pra ele, porque ela acha que nem eu nem a Pilar nem a Camila conseguimos notar que ela tava tensa enquanto falava com o Cauã.

— Cauã, tu pode vir aqui um pouquinho?

E aí falaram baixo na sala. Talvez nem tenham falado, porque só ouvi a moça do alto-falante alto-falando mesmo. *Fica avisado que será considerada, de agora em diante, atividade criminal a tentativa de incêndio culposo no Hospital da Aeronáutica da Ala 4 da Força Aérea Brasileira com pena de morte. Transgressores serão...*

Aí sim minha mãe gritou com a gente de verdade. Ela já tinha feito as malas um tempão atrás. Aí ela falou pra gente pegar as coisas e ir pro carro. Aí eu fui no aquário do Baleia dar tchau. E o Baleia é um peixe bonito, sabe? Ele é azul e aí parece que usa uma saia vermelha, com uns pretos no meio. Aí a saia fica indo de um lado pro outro, de um lado pro outro. Eu procurei na internet um tempão atrás, mas não descobri se peixes ouvem do jeito que a gente ouve. Eu nunca consigo ouvir nada quando mergulho na piscina. Porque só ouço água, sabe. Mas parece que a saia do Baleia faz *vush* (vai pra um lado) e *vush* (vai pro outro lado). *Vush, vush.* O Baleia não faz *glub-glub* que nem acham que criança acha. E ele tem um olhar meio morto. Dizem que não lembra de coisa nenhuma depois de vinte e quatro horas. Mas eu descobri um tempão atrás que isso é mentira. O peixe lembra até cinco meses.

Mas igual. Um olhar tranquilo. Um olhar que entende menos do que tu, porque pelo menos uma coisa viva no universo sabe menos que tu. Porque a Pilar e a Camila sabem muito mais como conseguir coisas da minha mãe e do Cauã. O Baleia só quer absorver as coisas, ver o mundo, ver a gente. A gente é o que é interessante pro Baleia.

Aí peguei o potinho com a comida dele, taquei no bolso e corri pra cozinha. Passei pelo Cauã no telefone. Tinha o Tupperware na pia e um monte de gelo em uma caixa isopor que a gente tinha. A mãe estava levando um isopor menor pro carro.

— Vai pro carro, Murilo.

Não que o Tupperware (ou a pia, ou eu, ou minha mãe) estivesse muito limpo, mas eu botei o Baleia lá e fechei bem fechado. Quando o Cauã me viu indo pro carro com o pote nas mãos, ele começou a gritar. Ele segurava uma caixa de papelão. E aí a Pilar e a Camila resolveram pegar o Pancho, o que deixou o Cauã mais furioso ainda, enquanto as duas reclamavam que a gente nunca levava o Pancho em viagem nenhuma. E nisso meu padrasto gritava mais e mais, e a Camila gritava mais e mais (porque a Camila é mais gritona), e aí a Pilar choramingou mais e mais (porque a Pilar é mais choramingona), até que a mãe entrou em casa e disse:

— Só vem.

Eles pararam e ficaram olhando pra ela. E ela disse:

— Só vem, caralho.

A mãe dirigia. Eu fui no banco da frente, porque o Cauã queria ir com as meninas. Olhei pra mãe quando passamos pelas cancelas e depois os tapumes.

— Mas que feriadão é?

E ela explicou que bastante gente já foi embora da base. E eu fiquei perguntando por que a gente tinha ficado por tanto tempo se as pessoas foram embora, e a mãe disse:

— Muita gente fica, Murilo. As pessoas são muito esperançosas.

— A gente também foi — disse o Cauã.

Foi difícil ir de carro, e a gente pegou uns caminhos que eu nunca tinha visto. A mãe falou um monte de palavrão, e o Cauã tinha várias opiniões sobre por onde ir. Até que a mãe parou o carro no meio de um engarrafamento e me mandou sentar atrás. Aí o Cauã veio pro banco da frente e eles começaram a falar sobre a rota. Eu achei estranho, porque Santa Maria é pequena demais pra ter tantas rotas. Eles olhavam um mapa, mas a mãe dizia um monte de nãos. Não, ali não.

— Aí é muito perto do pronto-socorro — ela dizia.

— Não — ela dizia. Dobrava o corpo por cima do mapa e olhava onde o Cauã apontava.

— A gente não devia ficar parado.

Ela olhava pela janela e voltava a olhar o mapa. O Cauã virou uma parte dele.

Não. Outro não. Achei estranho que o engarrafamento não se mexia. A gente deveria ir um pouco pra frente, não é? Devia ser que nem um daqueles engarrafamentos de São Paulo, de horas. Uma mulher veio bater no vidro e tentar conversar com a gente. Foi quando a mãe deu ré e acelerou. A gente atravessou um gramado, junto de alguns outros carros. Tinha umas pessoas caminhando cansadas, outras deitadas pegando sol. Mortas, hoje eu acho. Na hora, achei que estavam tomando sol. O carro travou na grama, o que fez a mãe bufar. Foi aí que o Cauã disse:

— Não precisa ficar bufando.

"Bufar" quer dizer soltar o ar pela boca com irritação. Ele me explicou isso enquanto a mãe bufava com o carro parado, e aí ela parou mesmo de bufar.

Avançamos um pouco. Paramos na esquina da casa dos meus tios Danilo e Quincas, que eu não via fazia um tempão. Eu não via o tio Danilo há mais tempo, porque ele era meu tio há mais tempo. Aí a mãe saiu do carro e foi bater na porta. Vi uma veneziana no segundo andar abrir só um pouquinho, sabe aquelas que abrem pra cima? Abriu só até aparecer bem pouquinho. Aí fechou. *Vush*. E a mãe saiu do carro e começou a tentar abrir os portões da garagem deles. Logo apareceu meu tio Danilo, que acenou pra mãe enquanto abria o portão da garagem com as mãos mesmo. Olhei pro Cauã. Por que eles não usavam o controle remoto?

Enquanto o carro do meu tio saía da garagem, o tio Quincas e a mãe ficaram olhando pros lados. Eles fecharam tudo depois que o carro do tio Danilo saiu, e a mãe correu de volta pro nosso.

O tio Quincas entrou no carro do tio Danilo e eles foram seguindo a gente. Depois de um tempo na estrada e um monte de paradas em postos de gasolina, a mãe usou um orelhão todo escangalhado. Tinha uma fila grande, e o Cauã me comprou uma coca enquanto a gente esperava.

— Com quem minha mãe tá falando?

— Com quem ela conseguir ligar.

— Posso ligar pro Mateus?

— Não sei o telefone dele.

— Mas eu sei, o código de área é zero-onze, aí…

— Xiu.

— Qual é o problema? É o número que a mãe disse que a gente ia usar pra ligar.

— O número não é esse faz tempo.

— Bota esse peixe fora — foi o que a mãe disse quando sentou de volta no banco do motorista.

Ela nunca se incomodou com o Baleia. Eu ganhei ele duas semanas depois que a Pilar e a Camila ganharam o Pancho. Digo que elas ganharam, mas foi uma ideia delas, que pediram pro Cauã. O Mateus veio visitar na outra semana.

Ele perguntou se eu não queria brincar com o Pancho. Mordi um Bis e disse que tinha medo de cachorro. Agora não tenho mais. Sou corajoso. Mas eu era muito novo e muito criança pra saber que não precisava ter medo. Minha mãe até perguntou se eu queria um cachorro depois, quando a gente se mudasse pra casa na vila militar. Ia ter espaço. Eu não queria, porque o Mateus tinha me dado peixes, o Baleia e mais dois.

— Por que Baleia? — Mateus perguntou.

— Porque ele vai crescer e ficar grande que nem uma baleia.

— Acho que não.

— Eu sei que não, não sou uma criança burra. Mas o Baleia não parece uma baleia em miniatura?

— Uma baleia em miniatura é um peixe.

Então oficializamos o nome "Baleia em Miniatura". Mas eu chamo de Baleia só pra mim e pra ele (pro Baleia). O Mateus olhava os aquários, três aquários separados pra três peixes separados.

— Você tem que cuidar bem deles, porque o aquário não é o hábitat natural dos peixes.

— Hábitat natural?

— É. Eles nasceram pra ficar na água.

— E por que não ficam?

— Porque a gente gosta de ficar com eles perto.

— E eles gostam?

— Do quê?

— De ficar perto da gente.

— Não sei. O que você acha?

O problema é que os outros peixes morreram porque eu era criança. Esqueci de colocar a ração, aí acordei com peixe boiando na água. Eu esquecia muito. O Baleia ficava no meio, porque eu gostava mais do nome. Ele ficou entre soldados guardiões flutuando nos aquários. Eu não olhei muito, só saí correndo, chamando a mãe.

Depois disso, a segunda coisa que eu fazia toda manhã era olhar o Baleia. A primeira era sair da cama. Não sou burro. Aí eu ia olhar o Baleia no aquário e dava comida pra ele. Nunca mais esqueci. Quando eu voltava da escola, ia ver se o Baleia tava bem enquanto o Cauã terminava o almoço. Aí a gente comia, e eu brincava e via *Naruto* na TV e jogava *Minecraft*. Eu sou muito bom no *Minecraft*, minha mãe disse que eu tenho pensamento engenhoso. Aí a gente jantava alguma coisa natureba que a mãe fazia. A mãe só cozinhava coisa natureba e ruim. Ela dizia que a gente tinha que evitar carne de gado que não fosse Angus ou Hereford, porque gado que fosse mais do centro ou norte do país era gado que eles botavam fogo na Amazônia pra criar. E aí o Cauã discutia. Esse era o tipo de discussão que eles tinham até que começaram a discutir sobre as internações que tavam acontecendo no hospital da base.

A vila militar tem um hospital, que foi onde a Pilar e a Camila nasceram. E, com a promoção do Cauã, a gente se mudou pra lá. Não pro hospital, mas pra vila militar, que era muito branca e muito igual. Pra entrar, precisava passar por cancelas. E tinha uma parte que só pessoal autorizado podia entrar, depois de umas outras cancelas. Nem eu podia ir lá. Era onde ficavam os aviões e helicópteros, que sempre faziam muito barulho. Mas eu não podia ir naquela parte. Eu só podia ir até o hospital, que era onde eu tirava sangue e ia no pediatra. Todos os médicos gostavam muito de mim, porque eu era o guri do capitão Dacosta.

Um tempão atrás, a gente foi no hospital tirar sangue. Todo mundo na base precisava fazer o exame. Aí fomos eu, a mãe e as gurias. O Cauã já tinha ido. Naqueles dias, o Cauã ficava muito tempo lá dentro, então eu nem sei o que ele fazia. Aí nesse dia a gente tava numa fila imensa pra tirar sangue. Em geral, me deixavam ir na frente pra essas coisas porque eu era filho do Dacosta. Mas acho que era gente demais. Eu quis ligar pro Mateus e perguntar se ele tinha feito o exame também. Será que meu pai precisou fazer? Não quis perguntar, porque a mãe não gosta de falar no pai.

Então um cara saiu correndo de umas escadas no segundo andar. Parecia que ele tinha vomitado no corpo todo, tava com umas manchas amarelas na roupa e na pele. Nem eu quando me vomito fico assim. Tinha essa escada, e ele tava correndo muito. Ele tava meio bravo, parecia, e tinha dois médicos atrás dele. Tinha um oficial do lado da escada, que conferia quem subia ou descia, e ele tinha uma arma. Sempre teve muitos soldados com arma na base aérea, mas tinha cada vez mais.

Uma mulher tentou pegar o cara quando ele desceu, mas ele tava tão bravo que começou a gritar com ela. Foi quando a cabeça do cara explodiu, e a da mulher também. Fedia. Fechei os olhos pra não ver, mas fedia. Era muito sangue, sangue estranho, e a mãe falou que era pra ir pra casa. Vieram soldados, afastaram a gente, começaram a surgir pessoas com umas roupas daquelas tipo astronauta. Olhei pra mãe.

— O que aconteceu?

— Não sei. — Ela olhava pra trás enquanto a gente se afastava do hospital a pé, indo pra casa, duas quadras depois. — Não sei.

Naquela época eu era criança demais pra saber qualquer coisa de contaminação, estágios e tal. A gente nunca fez o tal do exame, nem tomou uma vacina que quiseram dar depois. Só meu padrasto voltou no hospital.

Tinha muito barulho de helicóptero. Minha mãe explicou que o hospital recebe pessoas pra ajudar a aliviar o SUS em situações de emergência. Por conta dessa gripe generalizada, ela disse, tinha muita gente indo pra lá, porque a equipe médica tava qualificada a lidar com aquilo. E aliviava o sistema todo, além de ajudar a isolar os doentes.

E era sobre isso que ela e o Cauã discutiam, não mais sobre o tal gato Angus. A mãe e o Cauã falavam das pessoas que vinham fazer quarentena no hospital militar. Ela disse:

— Qual seria a outra saída, mandar essas pessoas pra Porto Alegre?

E ele ficava dizendo que não precisavam arriscar toda a população moradora dentro de um complexo militar por causa daquilo.

— A gente tem criança aqui — o Cauã falou.

Aí eles baixavam a voz, porque acham que criança é surda. O Cauã falou nomes de famílias, gente que já tava indo embora. O Soares, o Bassotto, o Vaz e o Mazzarino.

— Até o Mazzarino? — perguntou a mãe.

— Até o Mazzarino.

Aí a mãe se irritou e disse que nenhum deles era gaúcho, que eles não tinham motivos pra ficar ali. E ela tinha ouvido que o irmão mais velho do Vaz, lá de Manaus, tinha pegado a doença e ele queria estar por perto. Sabe como é, né? É terminal. A mãe me explicou mais tarde que terminal é uma doença fatal. Fatal é aquilo que mata.

O volume das discussões baixou mais ainda, e muitas vezes a mãe e o Cauã discutiam no quarto em vez de na janta. Eu sabia que era sério quando discutiam no quarto. Eles achavam que não dava pra ouvir, mas dava sim quando a casa inteira tava quieta. O Cauã tava nervoso, disse que cada vez mais gente ia embora da vila militar. E a mãe disse que era conspiração, que era corrente de WhatsApp. Aí um dia saiu na televisão a respeito da doença e o Cauã usou aquela voz da mãe pra dizer:

— Eu acho que você devia vir aqui ver isso.

Aí o presidente falou na televisão.

Regina

Abre os olhos e vê as ripas de madeira pintadas de branco, o lustre simples no centro. A mesma teia de aranha no canto perto da janela, não adianta mandar Meire limpar, a empregada se finge de sonsa, nada é feito naquela casa.

Está quente e seco, Regina permanece em silêncio enrolada nos lençóis, ouvindo, no escritório, o chiado do rádio. A cabeça está pesada, durante a madrugada dissolveu três comprimidos de Frontal debaixo da língua até ser tragada pelo sono.

Ainda sente o gosto amargo na boca.

Espera deitada, espreguiça, vira de lado, não tem forças para começar o dia. Olha o celular na mesinha de cabeceira. Seis e sete. O sogro e os irmãos de Jorge Augusto já deveriam ter entrado no canal momentos antes, cada um com as novidades das fazendas que administram.

Faziam isso pela internet, mas estão há um mês sem rede, e o patriarca mandou reinstalarem os rádios.

— Olho D'Água, Olho D'Água, Olho D'Água, aqui é Santa Bárbara, câmbio.

Através da porta entreaberta, ela ouve o marido chamar e chamar. Nada.

Regina desconecta o celular do carregador e desbloqueia a tela. Tem usado o aparelho apenas como relógio e alarme. Quando a rede caiu, acharam que era um problema passageiro, agora desconfiam que há algo mais grave.

— Olho D'Água, Olho D'Água, Olho D'Água, aqui é Santa Bárbara, câmbio.

Nenhum sinal de seu Hamilton Arruda, o patriarca, na fazenda Olho D'Água. Nenhum sinal de José Antônio, o primogênito, na Ponte de Pedra. Nada de João Armando, o irmão do meio, na Boa Vista.

No entanto, Augusto insiste.

— Olho D'Água, Olho D'Água, Olho D'Água, aqui é Santa Bárbara, câmbio.

Dois dias atrás o mais velho comentou que havia distúrbios em Campo Verde, a cidade mais próxima da fazenda que ele administra. Ouvira a notícia de que um caminhoneiro enfiara o veículo carregado numa escola municipal. Não havia explicação para aquilo.

Tampouco havia explicação para as cenas chocantes em Cuiabá, no último dia de transmissão da TV regional. Pessoas correndo a esmo, não paravam nem com os tiros da polícia.

— Nas nossas terras esses vagabundos não entram, câmbio.

— Sim, papai, câmbio.

Na conversa mais recente por rádio, o pai mandou que se armassem. Queria que cada filho reunisse os empregados mais fiéis para defender as fazendas. Os irmãos pareceram animados, menos Jorge Augusto.

— Onde eu vou arrumar armas, câmbio?

— Fale com o Cidão, Augustinho. Ele deve saber, câmbio.

A voz irritada do pai. O primogênito mandou que ele tivesse mais fibra.

Augusto passou o dia vagando de um lado para o outro na sede, arrumando tarefas inúteis para não ter de ir à cidade.

— Faça como seu pai sugeriu, Augusto. Peça ajuda ao Cidão.

— Até você?

O marido bateu os talheres no prato e cruzou os braços, birrento como uma criança. Disse que não tinha mais fome. Era noite. Regina esperou em silêncio, ouvindo o gerador trabalhar do lado de fora. Sabia que o marido ia terminar de comer. Sempre terminava.

Jorge Augusto é corpulento e alto, a pele muito branca, antebraços e pescoço vermelho-sangue, de exposição demasiada ao sol. Tem cabelos negros embolados, caídos numa franja.

— Olho D'Água, Olho D'Água, Olho D'Água, aqui é Santa Bárbara, câmbio.

Nos últimos dias, os peões começaram a ir embora.

Diziam que havia confrontos em Paranatinga e Primavera do Leste. Os caminhões passavam na estrada com sofás, televisores, mesas com as pernas para o alto. As pessoas iam atulhadas nas caçambas e nas cabines, tinham o olhar perdido dos retirantes. Cidão, o administrador, tinha dito que subiam até Água Boa, pela BR-158, e bifurcavam ao norte ou a leste, para longe do Mato Grosso.

Apenas o chiado, a estática.

Regina se levanta e pega na cadeira o penhoar, que veste por cima do pijama de seda. Enfia os chinelos felpudos e os arrasta pelo chão, se tranca no banheiro e senta na privada. Precisa de um café para dissipar a letargia dos calmantes. Se limpa, dá a descarga, sobe a calcinha, abre a torneira e se olha no espelho. As olheiras não estão boas. Vê o próprio rosto redondo com olhos castanho-claros. Passa os dedos no pescoço, desconfia que tem um começo de papada. Os cabelos com luzes precisam de um retoque na raiz, o salão de Nova Xavantina é péssimo, ela vai ter de esperar para ir em Ribeirão Preto.

Lava o rosto, passa a toalha e se olha de novo.

Lábios rosados. Nariz pequeno, arrebitado. Na semana que vem completa trinta e quatro anos. O que está fazendo ali, naquele fim de mundo, não sabe.

Os poros da pele estão dilatados. Passa os dedos na testa e nos olhos. Vai ter de tirar algumas rugas também. Se for junto com as cunhadas, a clínica dá desconto.

Suspira, apoia as mãos na pia. A angústia arrebenta a camada dos pensamentos e bloqueia a respiração. Pensa no pai e no irmão. Não tem notícias deles há mais de três semanas.

Destranca o banheiro e volta ao quarto.

— Olho D'Água, Olho D'Água, Olho D'Água, aqui é Santa Bárbara, câmbio.

Abre a porta que dá para o escritório. O marido mal cabe na cadeira, está curvado sobre o aparelho cinza, o comunicador na mão direita, a esquerda no dial.

Seis e meia. Ela se aproxima e fala:

— O rádio está mesmo funcionando?

— É claro que está. Acha que não sei mexer nele?

— Por que você não manda o Cidão dar uma olhada? Às vezes tem algum mau contato.

O homem estala a língua, mexe no dial. Regina diz:

— Se você quiser, eu falo com o Cidão.

— O Cidão não tem nada a ver com isso!

A voz sai esganiçada. Augusto não consegue esconder o nervosismo. Não dá para conversar quando ele fica nervoso. Ela sai do escritório pela porta que leva à sala. A mesa foi posta de um jeito estranho. Há dois pratos que não combinam, de jogos diferentes das cerâmicas que ela faz. Não há xícaras; alguém deixou ali copos baixos e colheres, facas, manteiga, um saco de pão velho.

Um dos pratos, com pássaros que ela mesma pintou, está lascado. Regina o pega para ver a extensão do estrago.

São suas coleções antigas de Ribeirão Preto, de quando ainda usava o forno que o marido fez para ela. Anunciara as peças nas redes sociais, vendera algumas para os parentes.

Começara com listras, depois evoluíra para folhagens e flores. Fizera passarinhos. Tentara formas abstratas. Encomendara louças em alto-relevo, ensaiara desenhos tropicais, com coqueiros.

Coloca o prato lascado de novo na mesa e grita:

— Meire! Meire!

Como ninguém responde, Regina atravessa a sala e abre a porta dos fundos, que dá para a cozinha.

Só a filha mais nova do Cidão está ali. A garota tem seis ou sete anos, é mirrada e se equilibra num banquinho no fogão. Mexe na panela de água fervente para fazer café.

— Cadê a Meire?

A menina, assustada, mal pisca. Tem a pele escura, cabelos encardidos, joelhos enormes. Está descalça.

— Cadê sua irmã?

Nenhuma resposta. As bolhas estalam na panela.

Regina manda que desça do banquinho e corra até a colônia para chamar o pai. A menina pega a boneca sem olho que deixou no canto e sai pela porta correndo, suas pernas curtas saltando o capim.

As casas de madeira, no fundo da colina, parecem silenciosas.

Volta para a sala e ouve uma voz no rádio. Sente um breve alívio, mas logo descobre que não é ninguém da família. Entra para ouvir, o marido está concentrado demais para lhe dar atenção.

A voz burocrática de um homem vai e vem na estática.

... o governo brasileiro está trabalhando por você. Se você não está contaminado pela doença do corpo seco, venha para Florianópolis. Repito: quem não está contaminado pelo corpo seco, venha para Florianópolis. Toda ajuda é necessária, e todos os cidadãos brasileiros saudáveis serão recebidos após passarem pela triagem...

— O que é isso, Augusto?

— Xiu.

... embarcações civis não devem se aproximar da ilha, ou serão afundadas pela Marinha...

Mais estática. Augusto luta para sintonizar a mensagem.

... os seguintes pontos de embarque e triagem foram estabelecidos ao longo da costa: Ilhabela, São Paulo; Escola Naval, Rio de Janeiro; Ilha do Frade, Vitória... E, agora, deixo vocês com a voz de Roberto Carlos.

Eles ouvem a música, sem saber como reagir. O som some e volta, Augusto luta com o rádio. Ele aperta um botão, há apenas chiado.

— Volte na música!

— Estou tentando!

Ele mexe nos botões do aparelho. Por fim, desiste.

— O que foi isso?

Regina retorce a gola do penhoar, aflita. É como se uma corda a sufocasse. O marido tenta mais uma vez, sem sucesso. Ela suspira e volta para o quarto, fecha a porta atrás de si. Tira o robe e o pijama e se olha no espelho, não fica feliz com o que vê. A barriguinha branca, estrias, coxas com celulite. No banheiro, aplica camadas e camadas de protetor solar nos braços e no rosto. Passa o creme antirrugas. O creme contra as bolsas sob os olhos. Volta ao quarto, escolhe a roupa no armário, enfia o jeans, senta-se na beira da cama, coloca as meias e as botinas. Tira uma mecha da frente do rosto, olha a mesinha de cabeceira. Tem ainda treze comprimidos de Frontal na cartela retorcida ao lado do santo Antônio, do terço e do abajur. Na terceira gaveta, só há mais uma caixa. Se o marido for para a cidade ela vai junto, precisa arrumar mais com o farmacêutico que vende tudo sem receita.

O dia vai ser difícil, ela não se sente bem com tantas incertezas. Estala a cartela e tira um comprimido, coloca-o debaixo da língua e, enquanto abotoa a camisa, sente o gosto amargo que a acalma.

O escritório está em silêncio, o marido deve ter saído enquanto ela se arrumava. Deixa o quarto e atravessa a sala, as botinas estalam no chão de cimento queimado. Vai à varanda, protege os olhos do sol e vê a poeira da Hilux se erguendo além das árvores.

Deve ter decidido comprar as malditas armas.

— Ô dona Regina.

Ela se vira na outra direção, Cidão vem caminhando com o sorriso pregado no rosto. Tira o boné ao se aproximar dela. É um homem troncudo, com a barriga proeminente, o rosto quadrado e a barba sempre por fazer. Está ficando careca, a testa brilha contra o sol.

— A senhora mandou me chamar?

— Cadê a Meire?

— Saiu de noite com a família, dona Regina.

— E como ninguém avisa nada, Cidão?

O administrador coça a testa e olha a fileira de árvores no final do gramado.

— O caminhão passou aqui na estrada, levou ela, o menino, o Mariano, a família do Osvaldo.

— Mas onde eles foram, meu Deus?

— Têm parentes pra lá de Água Boa, dona Regina.

— E o Serginho?

— Foi também.

Regina coloca as mãos na cintura, indignada.

— Cadê sua filha mais velha, Cidão?

Ele a olha de soslaio. Todo mundo na vila sabe que a menina não gosta de trabalhar.

— Em casa, dona Regina.

— Chame ela pra cá, então. A outra é muito pequena. Tem muita coisa pra fazer hoje.

Ficam em silêncio. Mais além do gramado, há a estrada de cascalhos, a massa estreita de árvores que eles não podem desmatar. A porteira branca e o mata-burro delimitam a área da sede. A Saveiro velha está parada debaixo do jacarandá, ao lado da casa. Além da linha das árvores, onde fica um dos pastos, ela vê pássaros, muitos pássaros, em revoada selvagem. Circulam e mergulham, ela ouve os grasnidos do vento.

— Algum boi morreu?

— Como, dona Regina?

— *Algum boi morreu?*

Ela aponta na direção dos pássaros. O administrador observa aquilo por um momento, a mão no queixo. Coça o couro cabeludo.

— Não... que eu saiba.

— Quem está no curral?

— O Cotó, senhora.

Ela bufa. É um pobre coitado, só continua ali porque Augusto é mole, não demite ninguém. Manda que Cidão o chame para ver o pasto.

— Sim, senhora.

— Sabe de alguma invasão nas outras fazendas?

O homem balança a cabeça devagar, seus olhos estão estranhos. Regina teme por um momento que ele os deixe, como os outros.

Cidão se distancia e ela respira fundo, fecha os olhos. A ansiedade não passou com o Frontal. Ela vê de novo o gramado que se estende até as árvores. Os pássaros... estão mais perto, ou é uma ilusão. Algo flutua no ar e pousa no seu ombro esquerdo, ela bate com a mão e a mancha negra se espalha pela camisa clara.

Queimadas.

Ela agora reconhece as cinzas no ar, muitas delas. Abana para afastá-las e volta para dentro. Na mesa ainda posta, pega um pão velho e arranca um pedaço, passa manteiga no miolo farelento. Não comeu nada desde que acordou.

Pensa nos homens armados invadindo fazendas. Na barbárie e na injustiça. Tem raiva de imaginar onde o estabanado do Augusto se meteu.

Meire a deixou sem se despedir.

Vai à cozinha, ainda mastigando o pão, e acende o fogão. Troca a panela de água por uma leiteira, procura o café na estante, não sabe onde a empregada guarda as coisas.

No lixo, ela vê uma de suas xícaras em cacos. Sente o peito apertar de novo, tem vontade de chorar.

— Puta merda. *Puta merda.*

Puxa o banquinho para procurar mais alto. Pela porta, ouve sons entrecortados de meninas reclamando e a voz violenta do administrador. Ela sai para ver, e Cidão, que estava curvado com o dedo na cara da mais velha, se apruma sem jeito.

O olhar da menina é de ódio. Ela ergue o rosto e encara Regina.

É nesse momento que ouvem o som do carro.

Regina sai da cozinha e atravessa a sala, vai à varanda apressada. Uma nuvem de poeira se eleva atrás das árvores, os pássaros fazem sombra no gramado. Ela protege os olhos para enxergar melhor.

A Hilux surge de uma hora para outra, a tinta metálica reflete o sol, o motor ruge. Ela não entende. A caminhonete sacode na estrada irregular, muito rápida. Regina tem apenas tempo de abrir a boca.

Muito, muito rápida. A Hilux percorre os últimos metros até a porteira branca, pende à direita, bate a roda no capim lateral e sobe, vai direto no poste branco. Metal se retorce, madeira racha, a cerca toda treme, as rodas traseiras giram no ar e a picape cospe Jorge Augusto pelo para-brisa.

Ela está correndo pelo gramado. Grita e chora, ou talvez esteja muda, sente o barulho do coração e a dureza do solo, o marido está meio enterrado no gramado. Ouve vozes atrás de si, grita que ajudem, se agacha do lado do corpo.

— Augusto? Jorge Augusto?

Não sabe onde encostar. A cabeça está torta, há sangue nos ombros, pedaços parecem fora do lugar. Ela se vira em busca de ajuda, vê Cidão correndo, logo atrás o baixinho, Cotó. As meninas estão paradas ao lado da casa, de mãos dadas. É uma imagem que Regina não vai esquecer.

Tampouco vai se esquecer das árvores.

Elas se movem. Regina pisca os olhos embaçados. Os pássaros encobrem o sol, ela sente frio, o vento traz os grasnidos, mas não só os grasnidos, nem só fuligem; há um cheiro… de ovo podre, suor velho.

Não são as árvores que caminham. São homens.

Constância

Meu irmão está magro demais. Pela primeira vez, tenho que dizer, está magro demais. Nunca pensei que fosse chegar a esse ponto. O irmão cuja aparência sempre admirei. Invejei, até. Dá pra ver os ossos por baixo da camiseta, parece um doente. Um menino doente. Ainda assim, como é bonito o desgraçado. A competição nunca foi fácil. O Conrado sempre foi o guri educado, atencioso, cuidadoso. *Gay? Tudo bem, meu filho!* Nunca foi problema nem com o pai nem com a mãe. *Orgulho! É muito lindo. Estudioso, o menino. E artista. Luxo de irmão, hein, Constância? Vegano? Que amor! Maravilhoso! Preocupado. Engajado. O quê? Ele faz drag?* Nem isso foi demais. A mãe foi até ver o show. Achou tudo bonito. *Interessante, né, Constância? Diferente.* O pai nem dizia nada. Só ria. Eu sempre fiquei esperando pra falar das minhas coisas. Eles nem sabem que eu me separei, voltei e me separei de novo.

— Constância, esse é o rímel sem crueldade que eu sempre procuro e nunca acho. Como é caro.

Me mostrou um. Com a outra mão segurava um punhado deles.

— Leva.

— Pra quê?

Conrado olha fixo pros tubinhos que segura. Fico com medo. Será que meu irmão está ficando doido?

— Pra quando a VeganeX fizer seu *comeback*.

— Verdade. Como é que tem isso nesse supermercado?

— É praia, tem de tudo. Não é assim?

Ele sorriu, uma boca meio desmaiada. Acho que senti um pouco a tristeza dele. Dizem que gêmeos têm isso. Joguei um pacote de biscoito pro meu irmão. Ele segurou o pacote com uma mão rápida contra o peito. Olhou a embalagem.

— Leite maltado?

— Conrado, você tá puro osso. Não dá pra escolher muito o que comer, precisamos estar alimentados, cara. Vai saber onde vamos achar comida no caminho.

Conrado suspira, derrotado.

— É. Acho que dá pra suspender os princípios no apocalipse. Não digo nada.

Ele abre o pacote e enfia cinco bolachas na boca. Faz careta. Mastiga contrariado.

— Vai virar uma pedra no meu intestino. Farinha e leite.

Abre uma lata de qualquer refrigerante que está por ali. Engole. Ainda tem bastante coisa no supermercado, apesar da devastação e do cheiro podre. Pego uma caixinha de leite condensado, acho três pacotes de bolacha e uns saquinhos de azeitona. Perto do açougue, o fedor é insuportável. Mas é um alento estar ali. Boto as coisas na mochila e sento para descansar um pouco. Minha calça está um pouco folgada, mas a barriga ainda faz uma dobra considerável. Puxo o ar com força e, quando solto, a barriga aperta a calça. Nunca vou emagrecer. Eu dizia para mim mesma que se acontecesse um apocalipse, um desastre mundial, qualquer coisa do tipo, pelo menos eu ficaria magra. Teria reservas de energia e tudo o que era ruim ia se tornar providencial.

As pessoas já estavam doentes naquela época. Como eu podia pensar uma coisa dessas? Debaixo da prateleira tem mais caixas de leite condensado, que eu me estico para alcançar. O zinco do teto tem uma camada amarelada de sujeira. Me estico mais. Alcanço. O barulho estridente da grade subindo me paralisa. Conrado caminha na ponta dos pés até onde estou, e eu vejo que está sem um sapato. Ficamos atrás das prateleiras. Pego o revólver do pai pra valer pela segunda vez na vida.

Quando o pai botou o revólver na minha mão pela primeira vez, disse que minha mira estava um pouco deslocada. Ele pediu que eu tentasse acertar uma goiaba na goiabeira. Eu ri. Nunca que ia acertar uma goiaba! Ele disse pra eu mirar e depois deslocou um pouquinho meus braços. Ergueu meu cotovelo e me mandou atirar. A fruta balançou. O pai bateu nas minhas costas e me mandou fazer de novo. Furei a goiaba. Corri para confirmar meu espanto. Não é difícil! Eu te disse. E me deu um abraço. Por um segundo esquecemos a arma, esquecemos a podridão, esquecemos os dias em que os avisos foram dados, em que os agentes de saúde nos orientaram a sair da nossa própria casa. *Como se previne a corpo-secagem? O vírus pode ser transmitido pelo contato direto com os agrotóxicos da marca AgroTechBrazil, como Gliforan, Tricosato e Temerctina.* Achei ridículo. Mas dei graças que a gente não usava nada de veneno nas uvas. Esquecemos o salve-se quem puder. Dos calhordas dos políticos, que foram os primeiros a sair voando, dos bostas endinheirados que lotaram seus jatinhos com as garrafas de espumante que a gente fazia e foram embora.

Lembro bem o empresário tiozão que sempre visitava a vinícola e mandava caixas e caixas do nosso vinho mais popular pros amigos e pros funcionários "especiais", como ele dizia. Depois levava ele mesmo um monte de garrafas dos nossos melhores vinhos e espumantes. Na semana anterior à evacuação, ele veio e lotou um caminhãozinho. Um caminhãozinho! Pagou em dinheiro. Era um bolão de notas dentro de uma caixa. Quem é que leva espumante pro fim do mundo? O dinheiro ficou lá. O que vale agora? É papel. Sentamos embaixo da goiabeira e ignoramos tudo. E até chegamos a pensar, lembro bem, que não era pra tanto. Todo dia eu abria umas três ou quatro garrafas e bebia tudo. É a prova, eu dizia. Não podia ser verdade que, àquela altura do campeonato, mesmo que de várzea, no caso do Brasil, uma doença, uma praga, um fungo desconhecido tivesse assolado o país. Daria pra dizer "era só o que faltava", mas não faltava. As pessoas estavam ficando doentes. *Corpo seco.* Que nome ridículo. Tipo *zombie*, eu dizia pra Lena, que tinha voltado pros Estados Unidos. Vem para cá! Eu vi as *news*, não são boas. Fica aqui, a gente pode tentar dar um jeito de ir arrumando tudo. Me irritava que depois de ter passado cinco anos no Brasil a Lena ainda usava verbos demais. Eu disse que não, que não era para tanto, que brasileiro era alarmista mesmo. Lembra quando teve chikungunya? Tua família queria que tu deixasse o país imediatamente. E nem foi nada. Verdade.

Ela devia ter ficado desesperada quando perdemos a comunicação. Eu acho estranho que os Estados Unidos não tenham mandado tropas para cá. Eles amam mandar tropas. Na real, não sei se não mandaram, porque nesse fim de mundo a gente nunca fica sabendo de nada mesmo.

A primeira vez que deparei com um deles, paralisei. Vinha lento na minha direção. Era a dona Neide. Fiquei com os braços gelados ao lado do meu próprio corpo, como se estivessem amarrados a dois blocos de concreto. A dona Neide vinha esquisita, pálida, enrolada no seu chambre azul-bebê. A gente sempre via ela na horta, de chinelo e meia, amarrada dentro daquele chambre puído. Era a mesma dona Neide, só que com a boca torta. Parecia ter sofrido um derrame. E, de fato, tinha uma mancha arroxeada na têmpora direita, de onde brotavam uns cabelos mais grossos, esquisitos. Abri a boca para perguntar ao pai se dona Neide era mesmo dona Neide. Um fedor de merda e coisa velha, putrefata, invadiu minha boca e minhas narinas. Ela estava há alguns passos, vinha triste. Até arreganhar as gengivas sem dentes. O pai botou o trabuco quase do lado da minha cara, por trás do meu ombro, e o barulho foi ensurdecedor. Caí sentada. A cabeça da velha estava em pedaços. Vi seus pés, cheios das coisas. Parecia um monte de shimeji brotando. Vomitei na hora.

O pai me arrastou pro carro. O Conrado esperava no volante, e por algumas ruas tentou desviar das pessoas, dos corpos e dos animais, mas no mata-burro não deu pra fazer nada, e o Conrado passou por cima de um cachorro. Ele achava que era um cachorro. A gente confirmou mesmo parecendo ser outra coisa. Conrado foi chorando até Tainhas, depois tivemos que parar e seguir a pé. Não sei se era cachorro. Era o caos. Era esquisito passar pelos campos e ver ao longe uns agrupamentos de gente, vindo em direção à estrada, fugindo. Ao menos eu achava que era gente e que estava fugindo.

Quando chegamos na descida da serra, alguns carros se moviam, mas a maioria das pessoas corria desesperada morro abaixo. Velhos, homens, mulheres, crianças, todos tinham os olhos tão arregalados que era difícil não ver que estavam vivos. Que queriam permanecer vivos. Todos comentavam da onda que chegava. *Eles estão vindo! Parece que vêm de Vacaria, que lá encheu por causa das maçãs. Toda a cidade está podre, com as larvas tudo por cima, parecem fungos, mas dizem que é larva, ninguém sabe.*

Foi na igreja que deu merda. Entraram lá e foi um Deus-nos--acuda. Só que Deus não acudiu ninguém. Olha, quem viu disse que nunca queria ter visto. Os primeiros foram um casal de dentistas que trabalhava lá fazia um mês. Agorinha passaram umas pessoas de jipe e contaram o horror que foi. Ali no túnel bloqueou tudo, só a pé. Melhor descer pela estrada antiga, embaixo da ponte. Que estrada? Todos falavam ao mesmo tempo. Todos tinham o horror no rosto.

Foi antes do túnel que peguei no revólver. Foi antes do túnel que a gente viu o pai por último. Não sei por onde ele desceu. Sei que eles começaram a brotar de dentro do mato, brotar da beira da estrada, brotar das árvores, do chão, do caralho. Uns vinham mais rápido, outros pareciam estar perdendo a força e caíam pelo chão, meio esfacelados já. Não ficamos muito pra ver. O Conrado me arrastou. O pai me deu o revólver, botou nas minhas mãos e disse pra eu me lembrar da mira. Saímos correndo, mas o pai foi ficando pra trás, junto das pessoas, junto dos outros, não sei, não quero pensar.

A gritaria no túnel era demais, gente se batendo, gente gritando pra não atirar. *Não atira, não atira, ninguém atira.* Como iam atirar no escuro? Caralho de gente burra. O Conrado disse pra correr pela lateral, junto à parede. Pega na minha mão e não solta por nada, Constância, não solta por nada. Ralei feio a bunda contra o chapisco do muro de contenção. Logo chegamos do outro lado, mas não sabia se todos iam chegar também.

Horrível. Os tiros e a gritaria começaram. Corremos. Corremos pelo mato, barranco abaixo, galho de árvore na cara. Enfiei a mão num arbusto de bugre e minha mão ficou ardida. Corremos até chegar numa plantação de banana. Sem banana. Tudo seco. Terra rachada. Paramos para tomar ar, as pernas bambas de tanto correr. Adormecemos por algumas horas, acho, de susto, de exaustão. Acho que o corpo deve ter algum mecanismo de desligamento nesses momentos de pavor. Sei lá. Depois da correria toda, a gente simplesmente desmaiou. Conrado me acordou assustado. Cogitamos procurar o pai, mas não dava pra ficar muito por ali.

Escutamos uma música muito ao longe. Isso é Nirvana? Acho que é. "Smells like teen spirit". Estranho. Fomos cuidadosamente ao encontro da caminhonete Rural, de onde vinha o som. Acho que era o maior baseado que eu já tinha visto na vida. O cara soltou a fumaça na gente e nem pareceu se assustar com nossa presença. Estava sentado na caçamba, com os olhos vermelhos na estrada. Oi, licença, pra onde tu tá indo? Ele deu de ombros. Conrado insistiu sem nenhum pudor: Podemos ir junto? Eu não vou sair daqui. Mas eles estão descendo. Em pouco tempo isso aqui vai tá infestado. Ele foi se erguendo, desencostou do metal para olhar a gente de frente e, quando ficou em pé na caçamba, uma parte de suas costas ficou grudada na lataria do carro. Pudemos ver, bem na têmpora, aquele monte de cogumelo, ou sei lá o quê. Ergui o braço num reflexo imprevisto e atirei. Foi a primeira vez que peguei o revólver pra valer. A fumaça se espalhou junto com a cabeça. O corpo tombou pro lado, metade pra fora.

Conrado se encolheu ao lado do pneu, o baseado rolou pra perto do seu pé e ele deu um longo trago. Não fuma isso, bicha burra! Deve estar contaminado. Conrado jogou longe e cuspiu, cuspiu, até ficar com ânsia. Vomitou. E continuou cuspindo. Arrancou mato do chão e enfiou na boca enquanto gritava. Eu estava paralisada, com o braço retesado, revólver na mão e a cena lenta se repetindo na minha cabeça, como um filme. A música agora era "Come as you are", e o Kurt repetia: *no I don't have a gun no I don't have a gun*. Respirei. Meus olhos se encheram de lágrimas e meu estômago se revirou. Dei um arroto. Achei que vomitaria, mas era só um arroto.

Entrei na caminhonete e a chave estava lá. Não pensei no morto que carregaria, não pensei em nada. Só assobiei pro Conrado e saímos ligeiro. O tanque estava só no bafo da gasolina. Abandonamos a caminhonete e o resto do homem na Estrada do Mar, quando acabou o combustível. E dali fomos a pé até Arroio do Sal. Em silêncio. Dava para ouvir o mar dentro da nossa cabeça. Cada onda quebrava um pouco da gente.

A cidade estava praticamente vazia. Não era muito diferente de quando íamos para lá no inverno. Praias do sul. Por que elas existem? Eram sempre meio tétricas. Incrivelmente, eu me sentia segura. Se estava mesmo ou não, só saberíamos caso algo acontecesse. Passamos duas noites na casa de uma ex-namorada minha. Eu sabia onde escondiam as chaves. Na primeira noite o Conrado ficou um tempão sentado perto do banhado um pouco antes da faixa de areia da praia. Eu sabia que ele estava lá porque os quero-queros não paravam de berrar. Fiquei meio deitada no sofá de frente pro janelão. A lua estava espetacular e se duplicava em uma bola branca por cima do mar.

O ser humano é muito idiota mesmo. Sempre pensei que o mundo fosse acabar. Sempre acreditei naquelas profecias, em grandes catástrofes, calendário Maia, Nostradamus, até no Hercóbulus eu botei fé, aquelas merdas me assombravam de verdade. Mas nunca me ocorreu que o que acabaria seria a humanidade, essa praga. Era tão óbvio. O planeta continua. O planeta é maravilhoso, inteligente, vai se recuperar muito bem. A gente se mata. Caralho como a gente pode ser tão podre?

Antes de deixar a casa, pela manhã, montamos uma espécie de kit de necessidades. Me passa pela cabeça que eu sempre fiz críticas ao pai da Rosa, e a toda a família dela, porque eles eram uns acumuladores. Agora era perfeito. Eles juntavam todo tipo de quinquilharia. E não só juntavam como guardavam tudo organizadamente, em saquinhos a vácuo, etiquetados, dentro de potes também etiquetados. Potes dentro de potes etiquetados como "potes". O Conrado espalhou os saquinhos na mesa: linha e anzol, um canivete suíço de verdade, agulha e joaninhas, elásticos, lanterna de led e de dínamo, cotonetes, fósforos, fluido de isqueiro, isqueiro, abridor de latas, luvas de borracha, saco de náilon e um kit de primeiros socorros, que não abrimos pra ver se estava completo. Acho que eles tinham uma mochila do pânico pronta. Antes de sair, peguei meio pacote de sal. Nunca se sabe. Voltei. Abri a portinha do armário da pia e tirei a faca de churrasco, xodó do pai da Rosa, com cabo de osso e bainha de couro, e enfiei num bolsinho lateral da mochila. Antes de fechar o armário, vi um tubinho de pimenta. Pensei que em algum momento aquilo poderia ser útil. No cabideiro da sala vi o velho casaco de tactel que a mãe da Rosa usava todos os dias para caminhar.

Fomos até perto de Torres pela praia. O vento era de matar. A areia fininha batia nas nossas canelas parecendo facas minúsculas. O tênis do Conrado ficava fazendo *fiuuuu-fiuuuuu* cada vez que ele pisava mais forte. E assim fomos, sem conversar. Não me saía da cabeça o tiro. Eu tinha usado o revólver pela primeira vez.

No supermercado, Conrado olha pela fresta entre as prateleiras. Eu olho por baixo. Vejo pezinhos ágeis atravessando os corredores, e atrás uma saia amarela arrastando no chão.

— É uma criança, Constância.

Faço um sinal negativo com a cabeça. Quero dizer para Conrado não se expor. Ele vira pra mim com aqueles olhos de cão.

— Não, não, não.

Sussurramos entre caretas e sinais com as mãos. Continuo balançando a cabeça para tentar demovê-lo. Não quero ter que atirar em mais ninguém. Não quero que nos vejam, quero que vão embora, que sumam, que o mundo seja só nosso aqui no supermercado, só mais um pouco. Até que a criança puxa minha jaqueta.

— Tia, me dá uma bolachinha.

— Caralho, piá. Te mato se tu fizer qualquer coisa, te prego fogo, piá desgraçado.

— Constância, não! É só uma criança!

A mãe me olha entre o ódio e o estarrecimento. Conrado tira o revólver da minha mão. O revólver que eu apontava pra cara do piá. Do nada uma bossa nova começa a tocar e as luzes do mercado se acendem. A mãe corre pra pegar o guri.

— Desculpa, desculpa.

Conrado abre a mochila.

— Tem bolacha aqui, ó. Pode comer tudo. A tia estava brincando.

— Mãe, tem leite moça! Posso comer?

A mãe me implora com os olhos. Faço que sim, sem hesitar.

— Pode, meu filho.

Nós nos olhamos, os três adultos, enquanto o menino enche a boca de bolacha e chupa o leite condensado pelo furinho que o Conrado fez na caixinha.

— De onde vocês estão vindo?

— Bento Gonçalves.

— Perto de Caxias?

— Isso. E vocês?

— Pelotas. Eu, o guri e o pai.

— E cadê ele?

A mulher baixa a cabeça.

— Procurando gasolina. Estamos escondidos perto das dunas. Disseram que aqui tinha gasolina ainda. Temos uma Fiorino, e pro guri é melhor ir de carro enquanto dá. Ele foi procurar, mas não sei. Eu vim aqui pra pegar comida. Estamos aqui tem três dias. Saímos amanhã. Com sorte. Encontrei um casal ontem, já estavam indo embora, mas me disseram que esse supermercado ainda tinha bastante coisa.

Conrado se afasta um pouco, de mãos dadas com a criança.

— Tem castanhas e frutas secas aqui. Isso é perfeito! Tu quer?

— Eu não gosto de fruta.

— Por quê?

— Porque é ruim.

— Não é, não. E tu sabe que é difícil encontrar comida boa, não é?

— É verdade. Não tem mais comida boa. Como é teu nome?

— Então temos que aproveitar. Meu nome é Conrado, e o teu?

— Jair.

— Jair? Ah, bom. Quer provar?

— Tá legal. Por que tu tá sem um pé de sapato?

— Ele estava furado, fazia um barulho chato. Acha que tem sapato aqui?

— Tem, sim! Eu vi!

Ele sai correndo pelo mercado. Conrado o segue.

— Vocês são irmãos?

A mulher me tira de um transe.

— Somos. Gêmeos.

— Nossa.

Fico esperando que ela complete a frase. Mas a mulher não me diz mais nada. Só grita pro filho que estava pendurando numa prateleira pra pegar um Cebolitos.

— Jair! Desce daí, guri, tu vai te arrebentar e depois vou te arrebentar com uma chinelada.

Ouvir o nome sendo gritado me dá calafrios. Eu nunca quis filhos. Um dos fatores que fizeram com que eu e a Lena nos separássemos. Mas, se eu tivesse que carregar meu filho pelo fim do mundo, não o ameaçaria com uma chinela. Acho. Talvez com outra coisa. Nunca daria essa porra desse nome pra criança. Certeza absoluta que era fruto da comoção pelo mito, *tá o.k.?* Aquelas porras daquelas lagartas que o pessoal da AgroTechBrazil nos enfiou pra reduzir o imposto. Porra de governo de merda. Biocontrole meu cu. Ainda bem que o pai e a mãe tocaram fogo em tudo, dentro do tambor de alumínio. E o Conrado chorando a morte das lagartas. Caralho, pelo menos me ouviram. Afinal a porra da engenheira de alimentos sou eu.

— Será que vai fazer mal pra ele?

— O salgadinho? Duvido. Isso aí é polímero.

O Conrado sai primeiro pra ver se dá pra gente ir. Levanta o dedão e vamos até ele. Sinto que a mochila está pesada demais e penso que poderia dar umas caixinhas de leite condensado pra mulher. Mas não dou. Ajusto as cordinhas e as duas garrafas de vodca que estavam dentro se colam às minhas costas. Pronto. A mulher segura uma cabeça de repolho. Por um momento não acredito, mas é mesmo. Um dos alimentos que mais acumula veneno. Por isso tem boa aparência. A essa altura, não adianta nada dizer o que alguém deve ou não comer.

— E seu marido?

— Ele ficou de esperar a gente ali atrás das dunas, perto da estrada. Achou melhor não chamar a atenção com o carro.

— Vocês vieram até aqui sem problemas?

— Olha, não tinha nenhuma alma viva.

Olho pro Conrado e nós rimos. Nossa preocupação não é exatamente com almas vivas. É justo o contrário. Andamos algumas quadras sem problemas. O guri corre na frente e volta. Chuta alguma coisa e volta correndo. Chupou a caixa de leite condensado todinha e deve estar cheio de açúcar no cu, por isso não para. Até que o chinelo arrebenta e ele cai. Nunca gostei de criança, mas me sinto compelida a ajudar. Paramos na varanda de uma casa em construção. Ao lado, um varal cheio de roupas empoeiradas volteia.

— Deixa eu ver esse pé.

O guri se cortou.

— Conrado, tu pegou band-aid?

— Peguei.

Ele me passa as coisas. Da minha mochila, pego uma das garrafas, abro e molho o pé do guri com a bebida. Os dois me olham incrédulos.

— O que foi? É antisséptico.

Eu não tinha pegado a bebida com aquele propósito. Queria encher a cara. Se fosse pra desistir, queria encher a cara e me jogar no mar. Evitei aquele pensamento quando veio mais forte. Mas peguei as garrafas, em todo caso. Eu é que não seria comida de morto-vivo.

Preferia morrer inchada. Cheia de água em todos os lugares, melhor do que seca, esturricada, com cogumelo na cara. O Conrado volta de trás da casa com um pedaço de pau cheio de pregos.

— O que é isso?

A mulher se encolhe.

— Um porrete. Não sei. Achei que poderia ser útil. Não quero ter que usar. Mas depois da gritaria que foi o túnel, é melhor se precaver.

O Conrado fala calmamente. Tudo o que sai da boca dele soa razoável. Eu nunca me dei conta, talvez fosse por isso que o pai e a mãe sempre davam ouvidos a ele. Não era o que ele dizia, mas como. Eu sou destrambelhada. É outro ponto em que nem parecemos irmãos.

Continuamos andando até avistar a Fiorino creme e na frente dela o homem, meio arqueado para a frente. Parece cansado. Tem os braços e as pernas finas, que parecem dançar na folga do calção de futebol. A barriga salta um pouco do corpo meio magrelo, meio inchado. A mulher acena. Nós acenamos. O guri sai correndo na direção do pai.

— Pai! Pai! Pai!

O pai vem na nossa direção também. Usa um boné de posto de gasolina por onde escapam longos fios de cabelos. Certeza que é careca. Manca um pouco. A mulher é tão bonita, como tinha acabado com um homem tão precário?

— Pai!

Ficamos para trás. O guri se joga no colo do pai, que o ergue bem alto e beija sua barriga. O sol vem atrás da gente enquanto uma tormenta se monta atrás do menino e do homem. O pai abraça forte o filho. Dá um beijo na bochecha dele. O menino dá um grito, uma risada, um grito e mais um grito. Paramos. A mulher deixa tudo cair no chão e corre ao encontro deles para completar a cena mais macabra que meus olhos já viram. O pai estraçalhou a cara da criança. Assim que a mulher chega começa a trucidá-la também. Saímos correndo sem olhar para trás. Corremos até a praia e por dentro do banhado. Até que passamos embaixo de uma taipa caída que serve de ponte pra atravessar o esgoto.

Conrado e eu não dizemos nada. Ficamos abraçados. Coração na boca. Rezando. Eu nem sei rezar. Mas rezamos. Eu com o revólver. Ele com o porrete. Rezamos pra ninguém aparecer. Rezamos pra estarmos sozinhos no mundo.

Mateus

Fechado no quarto, Mateus deita na cama e começa a chorar. A notícia chegou ao hospital pelo rádio ainda há pouco, confirmando que o silêncio da base aérea de Santa Maria significava o pior. Ela havia caído. O silêncio vindo de Brasília leva a conclusão semelhante, e agora dão como certo que as regiões Sul e Centro-Oeste estão perdidas. Romero entra no quarto logo em seguida e tenta tranquilizá-lo.

— É possível que haja sobreviventes, Mateus.

Romero não é estranho ao desespero inicial do luto, à sensação de proximidade quase tangível com o passado imediato, quando o ente querido ainda estava ali. Seu marido fora contaminado no segundo mês da epidemia, e Mateus ouvira, por outro policial federal, que fora o próprio Romero quem dera o tiro de misericórdia. Dizem que o processo pode variar de acordo com o metabolismo da pessoa e a quantidade de esporos com que entra em contato. Em média, vai de dores e inchaços à trombose e dela para morte cerebral em pouco mais de quarenta e oito horas, quando chega ao dito "estado feral". Alguns demoram mais, outros menos: numa pessoa atacada diretamente pelos corpos secos, a quantidade de esporos em contato com o sangue é tanta que a secagem começa quase no instante do óbito. Clinicamente, estão mortos, mesmo que continuem se movendo. Mesmo que seus corpos estejam secos.

— Vamos ter uma reunião agora à tarde, seria bom você estar presente.

Mateus balança a cabeça em concordância. Só precisa de algum tempo sozinho. Viveu em isolamento nos últimos meses, mas sempre cercado de médicos e seguranças. Era "o rapaz da bolha".

Algumas horas depois, está sentado numa cadeira da sala de reuniões. A equipe médica e de segurança está toda reunida ali, e dessa vez conta com a presença do coronel que comanda os militares do térreo.

A porta da sala abre. Entra uma mulher negra de trinta e cinco anos, de cabelos trançados, vestindo calça preta e uma camisa social de manga curta por baixo do colete da polícia federal. É Tulipa. Tem um ar tenso e preocupado. Pigarreia e fala num tom sério e grave:

— Todos já devem estar sabendo das últimas notícias. É seguro dizer que não receberemos mais nenhum comunicado de Brasília. O combustível do gerador não vai durar por muito tempo. Conversei com o coronel, e estamos de acordo quanto a atender o chamado de Florianópolis.

Sentada ao lado de Mateus na primeira fila, a dra. Sandra levanta a mão.

— Tulipa, me corrija se eu estiver errada, mas São Luís ainda não se manifestou sobre Florianópolis, certo?

— Sandra, sabemos tanto quanto vocês. O chamado que escutamos pelo rádio é o mesmo que vocês escutaram. Não há segredos aqui, não há nenhuma "conspiração". Oficialmente, não há mais governo central. A Escola Naval no Rio de Janeiro confirmou o contato com Florianópolis e está preparando um ponto de evacuação para a região Sudeste. O quanto de governo restou para se estabelecer lá só vamos saber quando chegarmos. São Luís é do outro lado do país, a distância é o dobro. É tudo questão de distância agora. Mais alguma pergunta? Não? Então o coronel vai explicar como vai ser a evacuação.

O coronel explica que deverão reunir apenas o material considerado essencial para a pesquisa, incluindo amostras, e destruir o que não puder ser levado. Os civis embarcarão num ônibus de turismo, e os militares irão à frente num blindado Urutu, que servirá tanto para liberar o caminho dos corpos secos quanto qualquer destroço ou veículo que bloqueie a rua. Será assim até conseguirem tomar uma distância segura da "manada" — é assim que se referem à aglomeração incomum de corpos secos que vinha no rastro do carro de som. A ideia é partir na tarde do dia seguinte.

Alguém pergunta em qual veículo Mateus será levado. O coronel sugere o blindado como escolha natural. Há protestos: os militares não estão treinados para lidar com um paciente na situação dele. Um médico levanta a questão: tendo Mateus consigo, o que os impedirá de deixar a equipe toda para trás no primeiro percalço? Afinal, a pesquisa também é importante. Há bate-boca, Tulipa tenta acalmar os ânimos. Concordam ao final que Mateus irá no ônibus de turismo, junto da equipe médica e da polícia federal.

Terminada a reunião, Mateus volta para seu quarto. Romero o acompanha e se despede dele na porta, então o deixa sozinho.

Mateus conclui que não tem muita coisa para levar, só algumas roupas. Pensa que é incrível como situações assim aumentam a capacidade de desapego, como as coisas perdem valor. Seus livros, suas roupas, as lembranças de viagens, tudo ficou para trás, perdido no seu apartamento, perdido no tempo e no espaço. Restou uma foto antiga com a mãe e o irmão mais velho, os três sorrindo numa selfie com as cabeças lado a lado, e outra em que está tomando sorvete com Murilo, que sorri com o rosto sujo de chocolate. Tinha impresso aquelas fotos muito antes de tudo, da epidemia e do apagão, e agradecia a presença de espírito de ter feito isso.

Batidas na porta. É Tulipa.

— Oi, Mateus. Tudo bem?

Apesar do tempo em que estão no hospital, os dois não são próximos. Há certo distanciamento profissional da parte de Tulipa, que Mateus compreende, uma vontade deliberada de evitar a criação de laços. Ele não sabe nada a respeito dela, exceto que é de Recife.

— Considerando as circunstâncias, acho que sim.

— Claro, entendo. Bem, eu só queria reforçar algumas coisas antes de amanhã. Você é a única coisa que importa aqui, todo o resto é descartável. Qualquer que seja o motivo que o manteve vivo esse tempo todo, está bem claro para todos, para os médicos, meu pessoal e os militares, que é a chave para uma possível cura. Conversei com a Sandra e entendo que você se sinta desconfortável com essa posição. Soube que ela está ajudando você a lidar com a depressão também. Mas eu queria te pedir que tente... ver a si mesmo de um ponto de vista externo, está bem?

— Não sei se entendi o que você quer dizer.

— Quero dizer que não teremos margem de manobra para heroísmos, está bem? Se surgir alguma situação de risco em que eu, um de meus agentes ou alguém da equipe médica precise ser sacrificado para manter você vivo, vai ser assim, então, por favor, não dificulte as coisas. Você deve se preservar a todo custo. Está me entendendo?

— Sim, Tulipa. Não se preocupe. — Ele sorri. — Posso correr bem rápido.

— Ah, claro. Você jogava futebol, não é?

— Jogava, no time dos Unicorns aqui de São Paulo. Mas era amador.

— Bem, já é alguma coisa. Nos vemos amanhã. Vai dar tudo certo.

Ela já está saindo pela porta quando se lembra de algo e volta.

— Ah, antes que eu me esqueça. O Romero falou comigo.

Mateus a encara em silêncio.

— A questão dos infrassons. Ele disse que vocês conversaram sobre isso, e levei o assunto para o corpo médico. Achei que gostaria de saber.

— Ah, sim. E então?

— É uma possibilidade. Parece que, teoricamente, infrassons poderiam afetar partes do corpo e do cérebro, e até alterar estados emocionais. Era assim que as antigas catedrais funcionavam, aqueles órgãos enormes geravam ondas sonoras que criavam a sensação de arrebatamento religioso. Ou seja, isso pode mesmo afetar mentalmente as pessoas. Ao menos as vivas. Nosso Pastor dos Mortos pode ter descoberto algo mexendo com essas ondas sonoras, nem que tenha sido por acidente.

Mateus concorda em silêncio. Tulipa ainda explica que, como o Pastor dos Mortos intercepta o rádio, só comunicarão a Escola Naval no Rio minutos antes da partida. Eles têm pouco tempo.

Algo deu errado.

É manhã. Romero entra apressado em seu quarto.

— Mateus, acorda. Se arruma rápido, vamos partir.

— O que foi? Não ia ser de tarde?

— Ia, mas ele está lá fora.

— Quem?

— Teu amigo. E com um rebanho ainda maior que da última vez.

Romero conta rapidamente que um dos soldados tem um irmão na base no Rio de Janeiro. Os dois se falaram por rádio de madrugada e comentaram sobre a evacuação. O soldado se justificou dizendo que não pensou que haveria alguém escutando as transmissões àquela hora, mas pelo visto estava enganado. Agora não faz mais diferença, precisam correr.

Mateus lava o rosto e troca de roupa.

— Tem uma mochila no meu armário que preciso levar comigo.

Romero abre o armário e a encontra. É pequena e preta, de material resistente à água e com alças acolchoadas. Está leve, tem pouco mais de um quilo. Romero abre o zíper e depara com várias caixas fechadas de Bis, sabor chocolate branco e Oreo.

— Para que você quer levar isso, Mateus?

— Fiz uma promessa.

Os minutos seguintes são de correria. Romero pega Mateus pelo braço e desce com ele pelas escadas. Os médicos correm para destruir as amostras e o material biológico que não será levado; outros carregam pastas com papéis.

Eles encontram a dra. Sandra na área de triagem. Ela entrega a Mateus uma máscara médica e pede que ele a coloque. É a primeira vez em meses que Mateus colocará os pés a rua, e ele não está preparado para o cheiro. Tulipa chega com a equipe da polícia federal e dá instruções: civis no ônibus, militares no blindado. O grupo atravessa a área da triagem até o saguão da portaria, e dali alcança a rua.

Puta merda, pensa Mateus. *Que fedor.* Cheiro de carne rançosa e feijão estragado. Cheiro de podridão e carniça. Cheiro de morte. E, por cima de tudo, a voz do Pastor dos Mortos:

Eis que estou à porta e bato, e se alguém ouvir a minha voz e abrir a porta entrarei e cearei com ele, e ele comigo… Venha para fora, Mateus. Venha conosco, nossa é a salvação.

O blindado Urutu e o ônibus de turismo estão estacionados ali em frente, na entrada principal do hospital. Os militares estão ansiosos. Tulipa pede que todos entrem logo nos ônibus. É quando Sandra solta um grito.

— Puta que pariu, o HD. Eu me esqueci de pegar o HD. Tulipa, ele é essencial. Todo o histórico de pesquisa está salvo lá, tudo. Ficou em cima da minha mesa. Vou pegar.

— Não. Sobe no ônibus e fica com o Mateus. Deixa que eu vou lá e pego.

— Você sabe qual é minha mesa, não sabe?

— Sei, sim.

Enquanto Tulipa volta para dentro do hospital, Mateus sobe no ônibus e vai direto para o andar de cima. Senta na frente, de onde pode enxergar melhor.

O hospital fica num terreno elevado, e um muro de placas de concreto e cercas elétricas foi colocado nas ruas ao redor, formando um perímetro. Conforme a ladainha bíblica do carro de som vai ficando mais e mais intensa, a voz do Pastor dos Mortos instiga os corpos secos a ir se amontoando contra o portão de ferro e forçando a tranca. Alguém aponta:

— Olha lá.

Eles veem a cabeça de um corpo seco surgindo acima do muro e se apoiando na cerca elétrica. Os corpos secos ficam uns por cima dos outros, o que por si só já é incomum. Mas avançar voluntariamente contra a cerca elétrica é algo que nunca se viu. Há um curto-circuito, estremecem em contato com a cerca, pressionados contra ela por outros. Faíscas voam, um corpo entra em chamas e cai dentro do perímetro. A cerca elétrica é arrebentada no processo e para de funcionar.

Outros corpos secos vão caindo aos poucos dentro da cerca. Custam a se erguer, e quando o fazem são facilmente derrubados a tiros pelos militares. É como um ataque em câmera lenta.

Tulipa toma o elevador, torcendo para que o gerador do hospital não resolva beber seu último gole de gasolina exatamente agora. No rádio que leva no bolso interno do colete, escuta o eco abafado de tiros e a voz de Romero, já dentro do ônibus, a chamando.

— Chefe, é melhor se apressar.

A porta abre. Ela sai correndo pelo corredor, entra na sala de Sandra e encontra o HD externo sobre a mesa. Coloca-o na mochila em suas costas. Escuta um rangido metálico no rádio, que ecoa alto o bastante para que o escute da rua também. Tulipa puxa o rádio no colete para perto da boca.

— Romero, o que está acontecendo aí embaixo?

— Puta merda, Tulipa, corre que o portão arrebentou.

Em seguida, a metralhadora calibre 50 do blindado dispara, numa barulheira caótica e nervosa. Tulipa desiste de pegar o elevador e desce aos pulos pelas escadas do hospital, pensando em como seria ridículo se, no meio disso tudo, morresse caindo da escada. O rádio grita:

— Não vem pela portaria, Tulipa. Não vem pela portaria.

— Romero, o que aconteceu?

— Eles já cercaram o ônibus. Estão passando para dentro do hospital. Estão ignorando a gente.

É claro, ela pensa. Qualquer que seja o modo como o Pastor os induz, não tem como ser muito complexo. Talvez ele não esteja querendo pegar Mateus, no final das contas. Talvez queira apenas que ele não exista. Há quem prefira reinar no inferno do quê...

— Romero, vai embora. Liga o ônibus e vai embora.

— Quê? Mas, chefe, você...

— É uma ordem, Romero.

Ela chega ao térreo, abre a porta corta-fogo e escuta o som de vidros quebrando no saguão. Os corpos secos já estão ali, avançando pela área de triagem. São lentos e caminham arrastando os pés, mas Tulipa já viu o que são capazes de fazer em seus botes curtos.

Escuta um grunhido, o ronco gutural provocado pelo ar ao ser sugado entre nacos de carne podre e ressecada, mas ainda capaz de se mover. Um corpo seco a vê e dá o bote, correndo em disparada. Ela fecha a porta corta-fogo e sobe o primeiro lance de escadas. O corpo seco bate com força contra a porta, pressiona a barra antipânico e a abre, caindo no chão. Quando se levanta, Tulipa saca a pistola e acerta um tiro na cabeça dele. Roncos guturais se aproximam. Ela sobe de volta para o primeiro andar. O rádio a chama. Tulipa escuta vozes confusas ao fundo:

— Calma, gente. Tulipa, onde você está?

— No primeiro andar do hospital.

— Eles estão indo por dentro. O que a gente faz?

— Eles quem, Romero?

— Os militares. Estão dando a volta e indo por dentro, para sair pelo lado sul. Disseram que há menos corpos secos ao sul do perímetro.

— Então vai atrás deles.

Ela corre pelos corredores do hospital, empurrando uma porta atrás da outra, até chegar à passarela envidraçada que liga o bloco do Centro de Oncologia ao Centro Clínico. Dali pode ver a rua interna que corta o hospital ao meio. Vê o Urutu passar abaixo dela e seguir em frente, indo com tudo para o portão sul.

O ônibus vem logo atrás, vai passar por baixo dela também. Dos corredores, Tulipa já escuta os roncos dos corpos secos vindo das escadas. Encosta o rosto no vidro e olha para baixo: uma queda de dez metros é o bastante para deixar alguém em estado grave, mas a altura do ônibus diminui a distância para pouco mais da metade. Há mortes piores. Tulipa fala no rádio.

— Romero, vai devagar.

— Como assim?

Ela aponta a pistola para o vidro da passarela e dá um tiro em cima, outro embaixo. Romero vê a chuva de cacos à frente do ônibus e pisa no freio.

— Que porra é essa?

Em seguida, escuta um baque abafado no topo do veículo, que provoca um grito de susto entre os passageiros. O rádio chia. Romero escuta a voz de Tulipa soltar um grunhido de dor e dizer:

— Alguém abre a saída de emergência do teto, *pelamordedeus*.

Romero alerta os colegas, que sobem ao segundo andar e abrem a escotilha da saída de emergência. Tulipa desce para dentro do ônibus. Tem os braços feridos com cacos de vidro e não sabe dizer se quebrou o pé ou se só o torceu. Mateus vem perguntar se ela está bem. A dra. Sandra a ajuda a sentar e tira seu sapato, verificando o estado de seu pé, que não parece grave. Só precisam limpar as feridas nos braços.

— Conseguiu pegar o HD?

Tulipa tira a mochila das costas e a entrega para Sandra, que a abre, verifica o conteúdo e sorri de volta.

— Olhe pelo lado positivo, Tulipa. Entre todos os ônibus do mundo, você pulou em um cheio de médicos.

Tulipa grunhe. O ônibus chacoalha várias vezes, como se estivesse passando por uma rua de paralelepípedos. Ela pergunta se pode ser o que está pensando. Sandra assente e não diz nada, mais preocupada em limpar os cortes nos braços da agente federal.

Mateus caminha pelo corredor do andar superior até os três assentos na janela frontal, onde outros dois médicos já estão sentados, observando impressionados à cena. O Urutu vai à frente, esmagando o que encontra, de modo que ao ônibus só resta desviar do que for grande demais para passar por cima. Eles dobram à esquerda, entrando na avenida Morumbi numa curva fechada, e o ônibus segue atrás. Tulipa olha pelas janelas e fica preocupada.

— Que caminho é esse? Para onde estamos indo?

— O coronel disse que vamos pegar a Dutra.

— Não, não. Isso é um erro. Temos que...

Ela grunhe de dor. Talvez tenha quebrado uma costela também. Sandra insiste para que fique quieta enquanto termina de tirar os cacos de vidro de seu braço. Alguns minutos depois, cruzam a ponte sobre o rio Pinheiros, passando pelo Itaim Bibi, e entram na Nove de Julho. Eles veem pelas janelas as ruas pontuadas aqui e ali por corpos secos que vagam em matilhas e são atraídos pelo movimento dos veículos. Mateus fica preocupado.

— Essas coisas vão ficar nos seguindo?

Um dos médicos diz para não se preocupar: a atenção dos corpos secos é curta, se limitando ao seu campo visual. Uma vez que o ônibus estiver longe demais para ser visto ou escutado, eles voltarão a vagar a esmo.

Os dois veículos avançam pelo lado direito da pista, evitando tomar o túnel e subindo por uma alameda, onde entram à esquerda. Em seguida fazem uma curva fechada à direita, pegam outra via e passam ao longo de um parque. Há alguns carros parados no caminho, os quais o blindado vai empurrando para abrir espaço. Até que enfim os dois veículos chegam na avenida Paulista, em frente ao Masp, e param ali.

A Paulista está deserta. Não há nenhum veículo no caminho, mas ela está repleta de lixo espalhado e empilhado pelos cantos.

Tulipa desce para o primeiro andar do ônibus e se põe ao lado do motorista. Insiste para chamar o coronel no rádio, e os dois discutem qual caminho tomar. O coronel defende que a Dutra é o caminho natural e o mais rápido até o Rio de Janeiro. Mas Tulipa o alerta de que quando a epidemia chegou a São Paulo muitos fugiram para o Nordeste, e os congestionamentos eram enormes. Tinha muito mais chances de haver veículos bloqueando a estrada ali, além de hordas de corpos secos pelo caminho. Ela sugere pegar a rodovia Anchieta, de lá passar à BR-101 e seguir pelo litoral. Aquelas áreas eram menos povoadas e têm mais vegetação. Os corpos secos não duram muito tempo onde há aves e animais carniceiros.

Do lado de fora do ônibus, os primeiros corpos secos começam a aparecer, vindos do parque, das esquinas ou da portaria dos prédios. Eles se arrastam na direção dos dois veículos. Um deles dá um bote, corre na direção do ônibus e bate de cabeça contra uma janela. O vidro resiste, mas resta uma mancha gordurosa e escura.

— Decidam logo, não podemos ficar aqui por mais tempo.

Eles escolhem o litoral e avançam pela Paulista em direção ao Paraíso. Tulipa sobe de volta ao segundo piso, então se junta a Mateus e Sandra nas janelas, observando com certo fascínio os restos da cidade. Já havia escutado que alguns corpos secos tinham a tendência a formar matilhas, e uma aglomeração incomum deles se esconde debaixo do prédio da Fiesp, virando para olhar o ônibus quando passam — dois ou três saem em curta perseguição e logo desistem, perdendo o interesse conforme os veículos se afastam.

A torre da TV Gazeta tombou, metade dela ainda está sob o edifício da Cásper Líbero, e a ponta bloqueia a pista do outro lado. Os restos de um helicóptero estão caídos logo adiante na esquina, em frente ao Café Creme. Mais adiante, eles passam por outra matilha de corpos secos, que os ignora, distraídos pelo movimento de muitos cães e gatos ao redor, sem oferecer resistência aos que devoram sua carniça.

Há certa serenidade no ar, a mesma quietude solene dos cemitérios e das necrópoles. O céu está limpo, de um indiferente azul-bebê, e o sol faz a avenida brilhar mais viva, como se a própria cidade estivesse satisfeita por se ver livre de seus habitantes e poder ser, enfim, apenas concreto. Mais adiante, um mural colorido com o rosto de Oscar Niemeyer zela pela metrópole sem vida.

Murilo

A vila militar começou a feder a churrasco podre de noite. A mãe desligava a televisão quando apareciam algumas imagens. Gente doente, cara de doente, corpo de doente. Gente explodindo pus. Gente se arrastando no chão, saindo de valas. Hospitais queimando corpos.

Uma das discussões em voz baixa foi sobre meu padrasto não poder simplesmente deixar o posto. Isso era a mãe que dizia. Ela insistia que a gente ir embora não seria só traição, mas falta de caráter da parte dele.

— Tem gente aqui que precisa de ti. Tu é parte da pesquisa.

— Eu não sei de nada, ninguém sabe de nada.

— Claro, Cauã. Ficam socados olhando os corpos o dia inteiro e só entenderam que...

— Só entendi que preciso proteger quem eu amo. Tu não consegue ver? Ninguém sabe nada.

— Por que é que você não me conta...

— E é por isso que a gente tem que ir embora!

Ele falou alto o suficiente para que o Pancho começasse a latir do lado de fora.

Perguntei pra mãe o que tinha acontecido com a professora Sônia. Ela disse que muita gente estava em pânico, numa histeria coletiva, e ia fugir. Na escola, diziam que mais de dez mil pessoas já tinham morrido. Depois alguém dizia que mil pessoas morrem de gripe todo ano no Brasil e ninguém fica surtando por isso. Por que ninguém fala disso na Argentina, hein?, perguntavam nos comentários. Isso é doença de brasileiro, culpa do governo, culpa do PT, culpa do FHC, culpa do Lula, culpa do Foro de São Paulo. Isso era evolução da aids, atrás dos gays também. Isso era culpa dos agrotóxicos, diziam outros. Isso era culpa do aspartame. Quando perguntei pra minha mãe sobre essas pessoas, ela me sentou na frente dela e disse que eu não devia ficar ouvindo as bobagens dos meninos da rua. Eu perguntei:

— Vai ficar tudo bem?

— Tu não te lembra, mas tudo sempre fica bem. Teve o H1N1, o ebola, as pessoas têm medo. As pessoas se movem por medo. Olha o Cauã.

— Tem problema se eu tiver medo?

— Não, mas tu não devia acreditar em tudo.

— Em quem eu devia acreditar?

Ela me abraçou. O Baleia ficava do lado da tela do computador. Fazendo o *vush, vush*. Eu tentei explicar o que estava acontecendo, mas ele só entende de *Minecraft*. No *Minecraft*, tinha gente construindo casas à prova dos bichos. Chamavam de corpos secos. Mas, pra mim, pareciam bichos. Uns usuários que eram meus amigos pararam de aparecer. Depois, a internet parou de aparecer. Eu joguei off-line um tempo, mas não era a mesma coisa. Naquela semana, parei de ir na escola.

Até a vez que vi um desses ao vivo. Quer dizer, não vi muito. Quer dizer, não exatamente vivo. Ouvi gritos perto do hospital, mas a gente mora a umas quadras de lá. Então as pessoas começaram a sair correndo e berrando. Um soldado deu um tiro nele, foi o que me contou nosso vizinho, Tobias. E saiu pra todo lado, vi o vídeo no celular dele. A mãe me viu olhando o vídeo do corpo seco explodindo e parou atrás. O Tobias se mudou dois dias depois.

A Base Aérea começou a usar um sistema de alto-falantes que anunciava a hora como um sino de igreja. O alto-falante dizia:

— São quatro horas em ponto, e o nível de segurança é amarelo.

Sei lá, eu imagino que sejam as cores. As cores reais eram só vermelho, amarelo e verde. Mas, como eu não via as cores, era preto. O alto-falante anunciava as horas mesmo de noite, o que não me deixava dormir muito. Uma vez soou um alerta que fez todo mundo acordar, e foi aí que eu soube que a mãe tinha uma mala pronta desde sempre. Mas aí o alerta soou de novo avisando que a ameaça havia sido contida. Tudo podia prosseguir na normalidade, dizia.

Cada vez mais, a gente ficava em casa. Nem no jardim a mãe me deixava ir. Ela dizia que era melhor ficar dentro. Foi a primeira vez que a mãe disse:

— Por que você não vai jogar videogame, Murilinho?

A mãe ia pro mercado com alguma frequência. Eu ia junto pra poder ver a rua. Às vezes, ela me deixava na casa de um amigo enquanto ia. Ela colocou uma cordinha de ouro no meu pescoço.

— Se algum dia tu precisar, diz que isso vale dinheiro, tá bem? Isso é ouro, e tem rubi.

Aí eu passava a tarde brincando de pega-pega (dentro de casa) com o Leandro. Mas o Leandro se mudou um tempo depois.

Quando me buscava, minha mãe dizia que os mercados pareciam como na greve dos caminhoneiros, anos antes, que estavam sem fruta, sem papel higiênico, sem enlatados. Alguns mercados tentavam não parecer desesperados e expunham todo o estoque. Ela começou a reclamar que nenhum mercado mais aceitava cartão de crédito. Os preços estavam absurdos, e o Cauá concordava. Ela parou de me levar junto, não sei bem por quê. O alto-falante alto-falava:

— São sete horas da noite, tem início o toque de recolher. O nível de segurança é amarelo e tudo segue na normalidade.

A gente ainda recebia umas visitas de vez em quando. Dificilmente era pra comer, pra jantar, sei lá. Até o dia em que o Levi chegou com a Zita e disse:

— Vocês viram que fecharam um muro?

— Um muro?

— É, no acesso principal. Não tem mais cancela. Só tem um muro. Se quiser entrar, um acesso secundário está funcionando agora. Isso é uma bomba-relógio. Uma bomba-relógio.

Ele perguntou se já tinham sacado dinheiro, se já tinham trocado por dólares. A Zita disse que ia trocar por euros e sair o quanto antes.

— Com o caos dos aeroportos? — perguntou o Levi.

— Sim, com ou sem caos — ela respondeu. — Ainda tem gente que recebe dinheiro neste país, e é um bom momento.

O alto-falante dizia que tudo deveria seguir na normalidade. O cheiro de churrasco piorava cada vez mais. Às vezes, circulavam caminhões de cimento também.

Muitas vezes o Levi vinha protestar e depois passava lá em casa. Eram protestos pequenos, de gente de perto, às vezes de gente de dentro da base, uns adolescentes, às vezes funcionários. Acho que pra fazer qualquer coisa. A esposa dele vinha junto. Chegavam com uns dois ou três cartazes debaixo do braço. Muito de vez em quando, traziam o sobrinho, o Lê. Ele tinha minha idade, mas tinha "necessidades especiais", a mãe dizia. Eu nunca entendi muito bem. Nunca entendi por que o Lê começou a ficar na casa deles.

— Achei aquele café que você gosta — o Levi disse. — O colombiano.

Ou ainda, com uma empolgação esquisita, ele dizia, cantava, quase:

— Quem achou açúcar demerara orgânico?

A esposa dele se animou com o açúcar ruim. A mãe parecia animada com o açúcar ruim.

Não importava o que traziam, cada vez mais celebravam coisas piores. O açúcar marrom ruim. Um café pior. Um suco de uva nojento que não me deixaram tomar. Pão duro. Queijo mofado demais. A mãe saía correndo pra passar o café. Aí sentavam ao redor da mesa. Reclamavam. Conversavam, trocavam notícias. Tinham começado a acontecer uns protestos contra o hospital, contra as forças armadas. Carros quebravam as cancelas de entrada. Costumava ter bancos e caixas eletrônicos dentro da vila militar, mas carros-fortes Brinks levaram tudo embora. Começaram a colocar tapumes ao invés de cancelas. Mas sempre tinha alguém com um carro maior, como um jipe, que vinha e quebrava. Gritavam muito. Queriam o fim do hospital, da base.

— Querem o fim de tudo — dizia a mãe.

A gente perguntava o que acontecia no hospital, mas o Cauã dizia que nem mesmo ele sabia. Na época, eu era criança e acreditava nessas coisas, hoje eu acho que era mentira. Cada vez mais, ele e a mãe falavam de um plano de evacuação. Evacuação, minha mãe disse, vai ser se caso a gente precisasse ir embora de casa. Tipo uma viagem, mas a gente não ia voltar. Eles falavam ao telefone usando essas palavras, usando condições. E se as vacinas? E se a quarentena? Mas e se o contágio? Depois de um tempo, os "se" viraram "quando". Quando a base aérea cair, pra onde? Quando os telefones pararem de funcionar, pra que casa?

Eu não sei por que me apressaram um dia. Por que naquele, por que não em outro? Mas teve um dia em que me apressaram. O Dia do Tupperware, eu chamo. O dia em que nos enfiamos no carro e fomos pra casa do tio. O dia em que o tio Danilo, o tio Quincas, a filha deles, Luciana, e o Levi nos seguiram de carro. Aí eles foram no posto de gasolina, e eu quis ligar pro Mateus e o Cauã não deixou. Olhei pra mãe quando ela voltou e disse:

— Você tem o número novo do Mateus?

Ela bufou com calma (o que é diferente do bufar com raiva de quando ela tava olhando o mapa) e fez carinho na minha cabeça. Eu bufei com raiva. Foi quando vi que o Levi estava conversando com o tio Danilo e o tio Quincas.

— Onde tá a Zita? E o Lê?

A mãe olhou pra trás.

— Eles encontram a gente mais tarde.

Na época, eu era criança demais pra entender. Quer dizer, na época de uns meses antes. Quer dizer, não sei bem o tempo. Não sei, não sabia. Os dois carros, um depois do outro, seguiram pra Porto Alegre. Não chegamos lá, o que é estranho, porque a gente chega a Porto Alegre rápido. A Pilar tava reclamando de enjoo depois de tanto tempo viajando. Acordei com fome no colo do Cauã.

— Onde a gente tá? — perguntei.

— A caminho de Porto Alegre.

Olhei pros lados. Tava tudo escuro e silencioso. Eu via uns postes distantes. Não ouvia muita coisa. Bocejei.

— Mas a gente nem passou o quebra-cabeça.

— A gente vai passar depois.

— Mas por que tá demorando tanto?

— A gente já te explica.

Olhei pra onde ele tava olhando enquanto me levava no colo pra dentro de uma casa grande. Dizia Pousada alguma coisa. Era uma dessas casas em que tudo é de madeira e os passos fazem barulho. Quando alguém anda, parece que tudo vai despencar. A casa tinha vários amigos da mãe e do Cauã, parecia até uma festa. A gente jantou comida congelada e frango empanado, e a mãe não reclamou dos aditivos químicos, carboidratos, nada.

Crianças sempre ficavam na mesa das crianças. Uma mesa separada e mais baixa. Nela, eu me sentia especial, porque sou o mais velho e tenho que ajudar os menores a cortar carne, tipo a Pilar e a Camila, que estavam comendo com as mãos. A mãe jantava tão concentrada que nem viu que todo mundo comeu os nuggets com as mãos. Na mesa dos adultos, eles falavam muito. A conversa ia de vozes baixas até gritos, quase como uma música.

— E é por isso que a gente tem que ir pra Porto Alegre, caralho!

Esse era o pico da música, o refrão.

Falaram o nome de vários lugares, eu nem sabia o que era cidade mais. Buenos Aires, Paraguai, Bogotá, Houston, Manaus, Nova Zelândia, Bahia, Distante, Rio de Janeiro, São Patrício, Cafundó. Falaram de gasolina, de dinheiro, de como fazer a comida durar. Agora eu queria muito sentar na mesa dos adultos. Na mesa das crianças, eu tentava decifrar o que tinha ouvido.

— A minha mãe disse que o problema é só no Brasil, e ir pro exterior é a melhor solução — disse uma menina com trança.

— Meu pai disse que os aeroportos estão interditados e que o contágio é muito rápido lá — disse um dentuço.

— Nenhum país bom tá aceitando brasileiro mais — disse a menina com trança.

A Pilar virou pra mim. O prato dela estava vazio e limpo. Em voz baixa, disse:

— Eles não vão parar?

Olhei para os outros. Ainda discutiam. Fiz carinho no braço dela.

— Você tá com medo?

Ela fez que sim com a cabeça. Fiz carinho, porque é isso que a mãe fazia.

— Vai ficar tudo bem — eu disse. Ela sorriu de leve.

— Meu vô disse que queria morrer nas terras dele e que preferia morrer logo do que ficar se arrastando por uns lugares que não conhece — disse uma gorda de óculos.

A gente ficou em silêncio, comendo os frangos com ketchup.

— O seu vô veio com vocês? — perguntei.

— Não. Ele disse que queria morrer com as vacas dele.

— Mas era só trazer as vacas — disse o dentuço.

Um menino deu um tapa no pescoço do dentuço e disse:

— Não, idiota. Ele morreu. Todo mundo morreu.

A gente ficou em silêncio de novo. A sala estava cheia, a mesa de jantar recebia pessoas novas. Um casal saiu da mesa, e os lugares vazios foram ocupados por outro, que se sentou pra comer a comida que tinha ficado na mesa. Uma moça com cabelo preso e rosto cansado às vezes se aproximava e trocava os pratos de nugget e as bandejas de lasanha. As palavras dos pais e mães e tios e tias e amigos iam ecoando. Eles não paravam de falar. E o refrão de Porto Alegre. Mas eu era uma criança na mesa das crianças.

— Mas a gente não morreu — eu disse pro dentuço.

— É — disse o que deu o tapa. — Mas vai. Meu pai disse que todo mundo vai morrer.

— Teu pai tá errado — disse a gorda de óculos.

— E teu vô tá morto — o dentuço disse. — Ele é comida de sequinho.

Ela baixou a cara e voltou a comer. Umas crianças começaram a apontar pra ela e chamar de Comida de Sequinho.

Eu não conhecia muitas das pessoas que agora eram amigas. Eu ouvia passos nos andares de cima, e a casa parecia tremer sempre. A gente ia dormir na sala, eu, a Pilar, a Camila e umas crianças. A Lulu ia dormir no quarto dos adultos com os tios.

— Vai ser que nem uma festa do pijama — disse a mãe enquanto me secava.

Ela tinha me dado um banho de mangueira do lado de fora. O Cauã fazia o mesmo com a Pilar e a Camila. A Pilar parecia que tinha chorado. O Cauã, a mãe, o tio Danilo, o tio Quincas e o Levi sentaram com a gente no jardim depois de tudo. Do jardim, dava pra ver as pessoas na casa. A luz era pouca. Tudo eram vultos, na verdade. As pessoas pareciam olhar pra longe.

O jardim tinha bastante gente pelos lados. A grama estava alta. Eu ouvia grilos, cigarras, sei lá. Tinha cheiro de comida no ar e as estrelas estavam visíveis demais. Tinha muitos carros estacionados pela área. Deles, vinha barulho de ondas de rádio que não se conectam. Uma mulher dormia no banco do carro agarrada a uma criança. Algumas pessoas se abaixavam perto de outras, mostrando coisas que tinham. Joias, carregadores portáteis, pilhas, celulares. Algumas joias foram trocadas por walkie-talkies, alguns dólares viraram laptops e roupas de criança viraram roupas de adulto enquanto o Pancho cheirava o chão e cagava pelo jardim. Aproveitei a água da mangueira e tentei trocar a água do Tupperware do Baleia. Deixei o jato forte, aí saiu água suja, até ficar mais transparente. Devia ser assim que funcionava. A mãe explicou que íamos ficar ali aquela noite, porque estavam esperando uns amigos deles.

— O Lê e a Zita?

A mãe ficou quieta. O Cauã sorriu. Fez que sim com a cabeça. Ela explicou que íamos amanhã depois do almoço.

— Aí a gente vai pra Porto Alegre — ela disse.

— Mas o pai do Renan disse que todo o Brasil tá infectado e que a fronteira é a saída certa.

O tio Danilo olhou pro tio Quincas, que olhou pra mãe. Ela sorriu.

— Você quer ir com o Renan?

— Não.

— Então a gente vai pra Porto Alegre.

— A vovó tá em Porto Alegre — disse a Pilar.

Ela fungou. O Cauã abraçou ela e me olhou.

— Várias pessoas que a gente gosta estão lá — ele disse.

Apesar de querer discutir, não discuti. Achei que ia fazer a Pilar chorar mais. Ia criar mais barulho. A mãe tinha me desafiado: a minha saída seria ir com o Renan. E eu nem conhecia a família dele.

As crianças e eu dormimos em colchões espalhados pela sala. O dentuço roncava. Durante a noite, a Pilar levantou pra ir no banheiro várias vezes, e a casa inteira tremia com os passos e a descarga.

Regina

São oito da noite, mas é como se fosse madrugada. O cansaço cega Regina. Estão há dois dias na estrada desde que fugiram da fazenda. Ela esfrega os olhos, sentada no banco do passageiro da Saveiro imunda, não sabe quanto tempo dormiu. A menina mais nova do Cidão pesa no colo, ela sente calor, move os braços em busca de ar; a mais velha está apoiada no seu ombro, sentada entre ela e a marcha. Cotó dirige devagar, tem medo da estrada.

Só os quatro conseguiram escapar.

Cotó é pequeno, se equilibra no volante para ver à frente. Camisa xadrez puída, jeans com porta-canivete que todos eles usam. Perdeu o chapéu encardido que nunca tirava, a cabeça é grande, com poucos fios de cabelo. Tem o rosto de criança envelhecida.

O carro está com os vidros fechados e tem marcas de sangue seco do lado de fora. Faz calor, o ar-condicionado não funciona, a ventilação é ruidosa. Regina deveria propor dirigir um pouco, mas suas mãos tremem. Precisa dos remédios para ansiedade, as lembranças voltam como uma onda gigante que a sufoca.

A imagem do marido estatelado no chão. Regina fecha os olhos para espantá-la, mas está tudo ali. Os vultos saindo das árvores, em direção à sede. Cidão gritando com a voz grossa, mandando recuarem, dizendo que estava armado. Mentira.

Ele tirou o canivete suíço do cinto, demorou para encontrar a lâmina mais longa. Puxou-a com a unha antes de ser atacado.

— Filhadaputa.

Rolou atracado a um negro enorme e careca, de camiseta justa e short de nylon. Regina viu como o administrador enfiava a lâmina no dorso do sujeito e nada acontecia. Soltava grunhidos roucos, estranhos, mas não largava do Cidão.

Uma velha corria pelo gramado, segurando no alto a barra da saia bordada. Saltava os morrinhos e rugia, vinha na direção dela.

Regina ficou parada. Aqueles olhos. Grandes e cinzentos, como gemas cozidas demais. Dentes para fora, de cachorro louco. Pernas magras com varizes e brotamentos amarronzados, pés imundos, avançando e avançando.

— Cidão…

A velha estava a uma dezena de metros, Regina fechou os olhos e ergueu os braços para se proteger. Ouviu o baque e o gemido, o farfalhar na grama. Quando abriu os olhos a velha rolava no chão, como uma cobra, o rosto uma massa sangrenta.

Cotó havia surgido do nada, deu mais dois passos e baixou a pá na mulher, uma, duas vezes, ela se recusava a ficar no chão. Ele virou a lâmina para baixo e investiu, cravou a ponta de aço abaixo do maxilar da velha.

Eles ouviram borbulhas e grunhidos.

— Dona Regina…

O peão correu na direção da Saveiro e fez sinal para que ela o seguisse. Acertou uma mulher que se aproximava com os ossos estalando, como se risse.

As duas filhas do Cidão também corriam até o carro, pararam perto do pai e gritaram por ele. O administrador sangrava na orelha e esfaqueava o gordo no chão.

— Corno filho duma…

Outros se aproximavam. Eram muitos. Dois saltaram sobre ele, com as bocas abertas. Um terceiro mordeu sua perna. Ele chamou as filhas.

— Valéria, cuide bem da sua…

Fechou o rosto em dor, o sangue espirrou. Um peão de rosto carcomido saltou sobre ele, mordendo o que estava no caminho. Cidão gritou pela última vez.

Regina se lembra de correr atrás das meninas, de entrar na Saveiro no momento em que o negro enorme, esfaqueado, se chocou contra o vidro. Cotó rezava em voz alta, o carro não queria pegar e pegou, graças a Deus. Ele engatou a marcha, virou a direção e acelerou, passando por cima de uma adolescente magra, sem um braço.

Outros bateram nas laterais, as bocas chocalhando, um deles se prendeu à caçamba, Regina olhou para trás, para a casa, para o local onde Augusto havia caído.

O marido não estava mais lá.

— Volte, Cotó! Volte, Jorge Augusto está vivo!

O peão seguiu em frente com a primeira engatada, mal enxergava acima do volante. Caiu na estrada de cascalhos, fez uma virada brusca, na direção da porteira. A Hilux estava ali, abraçada ao poste da esquerda. Mais pessoas putrefatas se acumulavam na entrada, tinham dificuldade em passar pelo mata-burro. Uma delas rastejava sobre as canaletas de ferro.

Cotó acelerou sobre elas, que não desviaram.

Pegaram a estrada para o sul, cruzaram com alguns caminhões lotados de gente. Passaram por Nova Xavantina, pensaram em entrar para buscar ajuda, mas as carcaças dos carros na entrada da cidade fizeram com que mudassem de ideia.

Os postos de gasolina estavam vazios, sem uma gota nas bombas. Outros, incendiados. O último estava tomado de caminhões, picapes, alguns em fila dupla. Pessoas se acumulavam nas bombas, uma delas ergueu o fuzil para o alto e atirou.

A multidão se espalhou, eles ouviram mais tiros.

— Não pare!

Regina queria seguir para o sul. Imaginava que o irmão e os pais ainda estariam lá, em Ribeirão Preto. Cruzariam o rio Araguaia na altura de Barra do Garças, mas foram obrigados a parar numa barreira de carros incendiados a poucos quilômetros da fronteira com Goiás. A fumaça subia de um deles, parecia recente. Rolos de arame farpado corriam de forma caótica. Havia dois caminhões parados à espera, pessoas agrupadas umas contra as outras nas caçambas, debaixo do sol forte. Haviam improvisado um toldo na lateral do segundo caminhão, com um lençol florido. Pessoas se agachavam ali, ao redor de uma mulher deitada.

Cotó saiu para ver. Caminhou até lá, conversou com os homens, viu a mulher sob o toldo. Um deles apontou a Saveiro, ainda falando. Cotó concordou, rindo, e voltou ao carro. Se debruçou na janela.

— Era pro Exército estar aqui, dona Regina, pra abrir a via. Como ninguém apareceu, acharam melhor voltar pra Água Boa.

— Como assim, voltar? A gente não pode voltar.

— Parece que tem uma saída mais pra frente, de estrada de chão, que dá pra um carro passar, mas não o caminhão. Vai dar lá em Itacaiú, onde a ponte tá aberta.

— Sei...

— Eles tão com uma grávida, perguntaram se a gente não pode levar ela.

Regina olhou para ele.

— Mas o Exército não vai voltar pra reabrir a estrada?

— Tão esperando o dia inteiro, dona Regina.

Olharam ambos para o céu azul. Pássaros giravam no ar, em grande quantidade. Regina mandou o peão entrar na Saveiro.

— E a grávida, dona Regina?

— Entra logo, Cotó.

Subiram de novo pela estrada, pegaram uma saída de terra à direita com várias placas, nenhuma delas informativa. Fazenda Paraíso, venda de touros. Fazenda São Jorge, Fazenda Santa Fé. Fazenda Paulistinha, entrada a oito quilômetros. Cotó achava que iam desembocar em outra estrada pavimentada, mas quando a noite caiu estavam no meio de um areal.

— Puta merda, Cotó. Puta merda!

A menina mais nova se mexia muito no colo, com sede. A mais velha chorava.

Dormiram mal. Na madrugada seguinte, voltaram a seguir pela estrada de terra. O indicador de gasolina estava baixo.

— Puta merda, Cotó.

Haviam lhe dado instruções simples: primeira à direita, primeira à esquerda, primeira à direita. Mas a maldita estrada seguia em linha reta. Por vezes, embicavam na entrada de fazendas abandonadas. Não sabiam onde estavam. A estrada se alongava, o rio estava à direita, subiam cada vez mais, em vez de descer.

Perto do meio-dia, encontraram a bifurcação. E a placa, no meio do nada. PONTE DO ITACAIÚ. RIO ARAGUAIA. EXTENSÃO 720 M. A superfície metálica azul coalhada de furos de bala.

A estrada de terra dava em uma ponte enorme, de concreto, recoberta por uma fina camada vermelha de poeira. O Araguaia brilhava logo abaixo, suas águas lamacentas correndo entre bancos de areia. Atravessaram devagar. Na margem oposta, um Gol branco jazia enfiado na lama, a bunda para cima, rodas no ar.

Um pássaro negro estava pousado sobre ele.

— Não pare.

A menina no colo começou a chorar. A Saveiro levantava poeira pelas ruas desertas de Itacaiú. Cotó diminuiu ao passar na frente de um mercado.

— A gente precisa de comida.

Olharam a porta escura, a boca de um trem fantasma. Algo se mexeu, ouviram potes de vidro caindo. Os pássaros no céu se fechavam ao redor deles.

— Não pare. Não aqui.

Passaram por carros abandonados, alguns fora da pista. Corpos estourados de um lado e de outro da rua principal, como se tivessem explodido de dentro para fora. Alguns estavam negros, recobertos de varejeiras. Numa picape tombada, na saída da cidade, encontraram pacotes de biscoitos e duas garrafas plásticas com água. Cotó vasculhou atrás dos bancos, nas caixas caídas na terra. Encontrou uma mangueira.

Enfiou-a no tanque da picape e sugou. Cuspiu, tampou a abertura com o dedo, encheu uma garrafa pet vazia. Não era muito, mas podiam percorrer alguns quilômetros.

Dividiram a primeira garrafa d'água, tomaram um pouco da segunda. A estrada era um leito poeirento de terra e ondulações estreitas, que faziam os ossos saltarem dentro da carne.

Cruzaram as cidades-fantasma de Britânia, Jacilândia, Jussara. Quando o dia começava a cair, passaram por um caminhão com todas as luzes apagadas, as rodas da frente por cima da terra e do capim alto. Cotó diminuiu a velocidade, olharam para dentro. Nenhum movimento, muitas moscas, não tiveram coragem de parar.

— Não vamos conseguir ir longe, dona Regina.

Regina acorda sobressaltada. São nove e meia da noite. Desligaram o motor, a ventilação não funciona, o ar está pesado. Há um caminhão parado à frente, no fim de uma fila, e um clarão de holofotes, uns cinco carros adiante.

— O que aconteceu?

As meninas dormem. Ela evita se mexer muito para não acordá--las; não aguentava mais o choro e as reclamações.

Há movimento do lado de fora. São homens, não parecem afetados pela doença, seja lá o que for. Estão armados, usam lenços estampados no rosto. Regina sente um frio na espinha e olha o peão. Ele também está rígido no assento, suas mãos apertam o volante. O que vem à esquerda faz sinal para que Cotó baixe o vidro. Ele gira a maçaneta e coloca o cotovelo para fora, procura rir. O homem de fuzil aponta a arma para o alto, se inclina para vê-los. Diz, por trás do lenço:

— Está tudo bem.

Regina se curva para vê-lo melhor, a luz dos holofotes a cega. O mascarado a observa de volta. Passa os olhos pelas crianças.

— Suas filhas?

— Claro que não. Quem é você?

— Está tudo bem. Esperem sua vez, desliguem o motor, não saiam do carro.

Faz sinal para que Cotó volte a subir o vidro, ele obedece.

Logo atrás, um caminhão vem devagar e estaciona. Os mascarados caminham até o veículo, conversam com as pessoas na boleia. Outro homem passa pela Saveiro, com uma arma enorme nos braços. Olha cada passageiro e segue adiante.

Cotó sorri para Regina, que continua séria. Ela vira para trás e vê os três sujeitos armados conversando.

— Por que eles estão mascarados?

Cotó faz cara de dúvida. Desliga o motor, a Saveiro para de tremer, o ar não circula mais. A menina no colo acorda e começa a chorar. Primeiro baixinho, depois com mais força.

— Calma, calma, neném...

Regina sacode a coxa para niná-la. Não sabe seu nome. Está desconfortável naquele assento. Vê os três homens voltando para o começo da fila, tranquilos. Eles somem no clarão adiante. Agora que mandaram que fique dentro do carro, sente claustrofobia. Algo grita dentro dela, mas Regina diz apenas:

— A gente não pode ficar aqui parado.

Cotó ergue as sobrancelhas, sem olhar para ela. Enquanto pensa, pega a última garrafa d'água, abre e molha os lábios.

A menininha vê seu movimento e estende o braço.

Cotó lhe passa a garrafa. Regina olha feio o peão e se dirige à menina:

— Tome pouco, querida. Senão a gente fica sem água.

A coisinha segura a garrafa com ambas as mãos e bebe. Valéria, a mais velha, parecia dormir mas se endireita.

— Também quero água!

A mais nova a ouve e bebe mais, afoita. Valéria grita:

— Me dá a água!

Ela ergue os braços compridos e arranca a garrafa da coisinha, que começa a gritar. Valéria tenta tomar um gole, não consegue, desvia das mãos da criança, que quer pegá-la de volta. Inclina a garrafa para o alto e um único gole pinga nos lábios. Sacode e não há mais nada. Ela chora.

— Você bebeu toda a água!

— E você pegou a galafa! Tia, a Valélia pegou a galafa da minha mão!

A mais velha grita de raiva e joga a garrafa na cabeça da menina, o plástico quica e bate na janela. A coisinha urra e arranha os braços da irmã. Regina grita que parem e puxa a menor para si, mas ela é um animal selvagem e agarra os cabelos da irmã, que grita e revida com socos.

— Parem! Parem!

Regina é atingida pelos murros.

— Cotó!

O peão não sabe o que fazer, sussurra que se acalmem. Está nervoso, o caminhão da frente ligou o motor e andou alguns metros antes de parar de novo. O de trás buzina. Ele gira a ignição, a Saveiro rateia. As meninas se batem e gritam. Regina agarra a mais nova e sente uma queimação no braço. Grita de dor e a solta, a pele tem a marca dos dentinhos. A criança salta sobre a irmã, o carro sacode.

— Parem!

O braço lateja, as duas vão se matar lá dentro. O motor da Saveiro pega, Regina abre a porta em busca de ar, Cotó coloca o carro em movimento e a mulher cai de ombro no asfalto. Rola no solo rachado e para no acostamento, se põe de joelhos e passa a mão nos cabelos. Tenta manter o mínimo de compostura, sente todos os olhos do caminhão cravados nela.

Valéria pula para a pista, a outra menina vem em seguida, ainda rugindo.

— Aqui não! Aqui não!

Regina se ergue e tenta se afastar, mas as meninas correm na direção dela.

— Briguem lá dentro!

A menor se lança com tudo e a mais velha desvia. A menininha se desequilibra e cai, se ergue chorando e salta de novo. Valéria desvia e ri.

— Sua burra!

A menor limpa o ranho e corre atrás dela. Valéria se embrenha no capim no acostamento.

— Você não me pega, sua burra!

— Dona Regina!

Cotó grita do assento do motorista. A Saveiro anda e freia atrás do caminhão, a porta escancarada balança. Valéria passa a cerca do pasto, a pequena vai atrás dela.

— Voltem!

A mulher olha para o caminhão de trás. As pessoas na boleia parecem estranhas. Com medo. Ela ri sem graça, depois olha o antebraço. A mordida está bem aparente, com um pouco de sangue.

— Ah, não… eu não… são crianças…

Ela se vira e olha a fila de carros. É invadida pelo medo súbito dos homens armados.

Então vê.

Estão retirando os passageiros de uma picape mais à frente, parece que há um problema. Os carros são iluminados pelos faróis cegantes de um jipe ou tanque, algo enorme parado no meio da estrada. É difícil ver o que acontece. Quando eles saem da luz e vão para trás do veículo, Regina distingue uma velha que grita, abraçada a uma criança. Um dos mascarados a puxa de lado, tentando conversar. Ela reluta, mas o segue. No acostamento escuro, ele ergue o fuzil e a acerta com a coronha. A velha cai para a frente, rente à cerca. Outro puxa a criança para si e a joga de canto. O mascarado enfia a bota nas costas da mulher e desce a coronha uma, duas vezes. Os homens parecem se divertir.

Regina sente que o tempo parou. Cotó gesticula frenético para que ela volte. As meninas correm em círculos no pasto, usando cupinzeiros gigantes como balizas. O coração volta a bater, o tempo retoma o ritmo, um dos mascarados a vê e grita algo, ela está entre os arames da cerca, se enrosca, cai na terra, se ergue e corre.

As meninas param o que estão fazendo e a olham na dúvida.

— Corram! *Corram!*

Regina pega a mais nova no caminho e a coloca debaixo do braço. Valéria dispara à frente.

Elas ouvem os primeiros tiros de fuzil.

— Dona Regina, espere!

Ela olha para trás e vê Cotó à beira da cerca. Ele passa um pé entre os arames e se abaixa. As lanternas do jipe se movem, o motor ruge, é como se um monstro tivesse acordado na noite. As rodas são enormes, a carroceria é alta. O veículo avança entre a picape estacionada e os arames da cerca, derruba dois troncos, o arame estala.

Mais tiros. Cotó está iluminado, no meio do picadeiro. Tem a cara chorosa de um palhaço, o rosto pálido, lábios e olhos vermelhos. Foi pego entre um lado e outro da cerca. Ele endireita o tronco e ergue os braços.

— Tia!

A mais velha parou para ver.

— Não olhe! Corra!

Mas Regina também espia. Há três mascarados com os fuzis apontados a pouca distância. Ela ouve os disparos ao mesmo tempo. Cotó é varrido pelas balas.

— *Corra!*

A pequena se solta do abraço, rola no pasto e se ergue.

— Coisinha! Ei! *Pra cá!*

A menina olha confusa as luzes no asfalto. Uma fumaça espessa se eleva, há mais tiros, o enorme veículo blindado arranca a cerca com os trilhos de ferro dianteiros e se ergue nos montes irregulares do pasto, avançando na direção delas.

Valéria tem as pernas longas e se afasta correndo na diagonal à esquerda, na direção de uma massa escura de árvores.

— Espere!

Regina bufa, está vermelha e sem ar. A coisinha saltita atrás dela, se engancha nas raízes, mas não cai. A mulher ouve um estalo na terra, perto do pé, não quer acreditar que estejam atirando nela.

— Tia!

A mais nova parou de novo, é iluminada em cheio pelos holofotes. Ela congela como um animal noturno surpreendido por predadores. Um homem corre e grita. O enorme veículo ergue a roda da frente sobre um cupinzeiro e empaca. A luz sobe aos céus por um instante. Quando desce, a criança não está mais lá.

Regina continua a correr e se embrenha no mato alto, na direção em que a mais velha foi. É arranhada por espinhos, rola no chão, se ergue e corre de novo, levando galhos consigo. Corre até o flanco doer, depois segue caminhando.

Quando a mata parece rarear, ela toma outro rumo, tem medo de sair a descoberto. Descansa apoiada num tronco, acorda com o canto de um pássaro e se ergue desesperada. O céu entre as árvores parece mais vivo. Tenta se lembrar de onde está, a garganta arde. Só queria chegar a Ribeirão Preto, rever o pai e o irmão. Só isso. Chora, caminha tropeçando nas raízes, tem medo dos bichos escondidos e se assusta com as sombras.

Julga ouvir o som de água corrente e ofega, corta os braços e o rosto ao atravessar a mata espessa, bufa, não tem mais controle das pernas, no instante seguinte sente que o chão sumiu. Antes de gritar, despenca no barranco, arrasta folhas e galhos com a bunda, cai de lado e bate a cabeça.

O sol vai alto no céu quando Regina abre os olhos. Está no fundo de uma vala, com lama nas pernas e nas costas, não se lembra de ter caído ali. Olha para cima e vê apenas a mata, o brilho do dia refletido nas folhas. Ouve o som de água e algo na memória parece despertar. Sim, água. Estava atrás de água. Olha à frente, além das botinas enlameadas. A terra e as árvores dão lugar a um solo rochoso, as superfícies arredondadas estão cobertas de musgo. Mais além, depois da folhagem, ela vê o movimento prateado de um córrego.

Parece ouvir risadas também, acha que está delirando. De quatro, abre espaço estre as raízes e troncos e brota para fora da mata.

Uma menina deixa o barquinho de papel na beira d'água, se ergue e a encara, tem enormes olhos castanhos e cabelos cacheados com presilhas coloridas. Usa um vestidinho irreal, xadrez, com mangas bufantes. O barco se afasta da margem oscilando, mas ela se esqueceu dele.

Ambas se observam, paralisadas. O barquinho ganha velocidade na correnteza e desce entre as pedras até um poço natural, alguns metros abaixo. O rosto da menina muda, esboça um leve sorriso, que se transforma numa expressão de terror. Ela puxa o ar e abre a boca.

— Não, menininha, não... psiu...

A menina solta um grito do fundo dos pulmões, seguido de outro grito, da metade dos pulmões, e de um terceiro, da garganta. Está vermelha, a cabeça vai explodir. Regina quer fugir, mas precisa de água. Se arrasta para fora da mata como um bicho, a menina sai correndo rio acima, saltando entre as pedras, e a mulher sente um medo irracional. Se ergue e corre atrás dela.

— Espere!

Regina se desequilibra nas pedras, lança os braços ao alto.

— Espere!

A menininha sumiu na curva do rio, entre as árvores. Quando Regina se aproxima, vê a toalha quadriculada de branco e vermelho, o cesto de vime, frutas, pães, uma garrafa pet de guaraná, biscoitos recheados, mais duas crianças e uma empregada, com o cabelo cinzento preso num coque e a saia um pouco abaixo dos joelhos. Tira pelos das pernas, para ao vê-la despontar suja e descabelada.

Regina para também e tenta sorrir. As outras duas crianças, uma mais velha e um gordinho de cabelo em cuia, gritam e fogem.

— Eu... eu... eu não...

Ao fundo vem um homem correndo. Carrega uma doze, Regina está segura de que não vai sobrar um pedaço dela quando o sujeito atirar. Ergue as mãos e grita:

— Desculpe!

Não sabe por que disse isso. O homem aponta a arma, em dúvida, a senhora grita que espere. Grita várias vezes, até ficar rouca e o homem baixar o cano. Outro vem do meio da mata, puxando a calça para cima.

A empregada caminha com passos rápidos e se coloca entre eles e Regina.

— Na frente das crianças não, pelo amor de Deus.

Regina continua a se desculpar e chora. As crianças reapareceram entre os arbustos, olham curiosas. Ela ouve uma dizer:

— Não é dos sequinhos.

Não, ela não é uma dos sequinhos. Se ajoelha sem força nas pernas, soluça e pede ajuda, conta tudo ao mesmo tempo e se engasga.

Regina sente as mãos no cabelo. A senhora se inclinou sobre ela.

— Não fique assim, querida, está tudo bem. Agora está tudo bem.

Constância

— Será que ele sentiu dor?

Conrado tinha os olhos apagados.

— Quem?

— O menino.

— Não quero pensar nisso, Conrado.

— Eu não consigo me mexer. Queria sair desse buraco, literal-mente, mas o guri não sai da minha cabeça. Tenho medo de sair daqui e dar de cara com uma dessas coisas.

— A gente não pode ficar pra sempre nesse banhado.

— E se a gente voltasse pra casa da Rosa?

— De jeito nenhum. Voltar trinta *fucking* quilômetros e fazer o quê? Esperar pra morrer? Vamos adiante. A gente já fez metade do caminho. Quase.

— Vamos na mãe, então.

— Será que... — Ele parou. — Será que a mãe tá... — Parou de novo.

— Viva?

Conrado baixou a cabeça. Tinha o rosto ainda mais magro.

— É — disse roçando os pés, incerto.

— Claro que a mãe tá viva. A mãe é safa.

Nada me fazia crer que a mãe tinha morrido. Não sei explicar. Nunca tivemos uma relação maravilhosa, longe disso, mas temos uma conexão que está além do amor, muito além. A mãe sempre foi meio bruxona.

— Quanto dá até lá?

— Uns cinquenta quilômetros.

— A gente vai levar dias pra chegar.

— A gente pode andar o máximo que dá, sem fazer paradas,

pela Interpraias ou beira-mar, sei lá, amanhã a gente chega. Não é tão longe.

— Eu odeio aquela pinguela, Constância.

Me lembrei de uma foto que todos os anos postávamos nas redes sociais para incomodar o Conrado. Na imagem, meu irmão se segurava nas cordas da ponte pênsil, enquanto Léo e Paulo, cada um agarrado a um braço dele, pulavam e o arrastavam com caras de riso folgado. Ri.

— Eu sei que tu lembrou daquela foto pavorosa.

— É muito engraçada.

— Acha que teríamos a sorte de encontrar algum barco abandonado no Mampituba?

— Se encontrássemos, tu saberia dirigir?

— Deve ser que nem carro, sei lá. Difícil não é.

— Não sei, Conrado, eu não tenho a menor confiança de que poderíamos sair por aí quebrando ondas num catamarã.

— Bom, chegando lá, a gente pode tentar. Não estamos longe.

— Não.

A pinguela estava lá, firme em toda a sua mobilidade. Ficamos com medo de ir até a ponte de asfalto. Não era muito distante dali, mas precisávamos entrar mais na cidade. E já tínhamos comprovado que andar perto do mar era melhor.

— Constância, ali tem uma lancha!

— Ainda acho uma péssima ideia. Como a gente vai saber onde é a casa da mãe? E se a gente passar?

— Passar? Tem aquele píer gigantesco! Como a gente ia passar?

— É uma plataforma de pesca.

— Dá no mesmo. Dá pra ver de longe.

— Tá. Eu seguro as coisas e tu vê se funciona.

Funcionava. Ao menos o motor ligou.

— Sabe por que esse barco ainda tá aqui, Constância?

— Porque a família morreu?

— Pode ser, mas o que eu quis dizer é que ninguém pensou em pegar um barco à toa, talvez por medo de não entender como funciona, por medo de tentar.

— Sério, Conrado? Sério que tu vai aplicar essa merda de influenciador de Instagram em mim? Tá com saudade dos teus fãs? Vai falar com os lobos-marinhos, eles até podem bater palma pra ti, são treinados.

Conrado abriu um pouco a boca e balançou de leve a cabeça, mas, antes que ele falasse qualquer coisa, eu disse:

— Desculpa. Eu tô... — soltei o ar com força pelo nariz pra ver se saía também aquela tensão que eu estava descontando no Conrado. — Desculpa.

— Tudo bem. É o fim do mundo. Acho que não tem problema xingar a única pessoa com quem tu tá te relacionando e com quem vai te relacionar, se tivermos sorte. Acho que tá liberado.

Conrado me estendeu a mão e eu pulei pra dentro da lancha.

— Ei! Sai daí! Sai daí senão eu atiro, filha de uma égua! — alguém gritou ao longe.

— Liga essa merda e vai. Vai logo.

Quebramos as ondas da saída do rio, entramos no mar e seguimos à direita. Não ouvi barulho nenhum de tiro. Mas vi dois homens com as mãos erguidas, dizendo alguma coisa.

Fomos até onde o barco conseguiu nos levar. Acabamos batendo numas pedras e ele não se moveu mais. No caminho, vimos poucas pessoas na beira da praia. Avistamos o píer de longe. E a casa da mãe ficava bem antes da plataforma. Era mesmo enorme. Devia se projetar quase que uns quinhentos metros pra dentro do mar.

— Não lembrava que era tão grande.

No pátio, um cachorro dormia tranquilamente. Ele abriu um dos olhos e bocejou, então abriu o outro e nos viu parados no portão de ferro. Começou a latir e só parou quando a mãe apareceu, enrolada no lençol, como se quisesse se esconder da gente. Antes de nos atender foi regar as plantas. Fez um sinal de espera, pegou o que parecia ser uma cabeça de alho, juntou o que parecia ser manjericão, sálvia, hortelã e cidró, amassou, enfiou tudo num borrifador com água e conforme ia passando borrifava tudo, inclusive a si mesma.

— Quieto, Sultão!

Ela borrifou o cachorro, que se encolheu e parou de latir.

— Mãe.

A mãe correu até onde estávamos, nos olhou de cima a baixo e foi correndo para a varanda. Voltou arrastando um balde, cujo conteúdo atirou sobre a gente. Era um tipo de chorume.

— Mãe, somos nós!

— Eu sei que são vocês. Preciso esperar uns minutos pra deixar que entrem aqui.

— O que é isso? Fede a...

— Alho, cebola, tempero, erva.

— É.

— Entrem logo.

Conrado tirou a camiseta suja e pendurou no varal.

— Dona Carmem, que bom te ver! — abracei minha mãe.

— É bom te ver também, Constância. É muito bom ver vocês, meus filhos. Come isso aqui.

A mãe enfiou um alho na minha boca. Eu cuspi. Ela ajuntou do chão, enfiou de novo na minha boca e a segurou fechada enquanto eu tentava reclamar.

— Aquelas coisas sentem cheiro de alho e ervas e passam reto por aqui. Até olham, mas logo vão embora. Não precisa engolir, se não quiser, mas aí vai ter que ficar com isso na boca ou na mão. Eu acho mais prático engolir. E tu também, Conrado.

Veio um barulho de dentro da casa.

— Tem alguém aí contigo, mãe?

Dona Carmem, como eu costumava chamar minha mãe, era uma mulher muito teimosa e muito inteligente. Não me admira que estivesse viva e que tivesse descoberto algo que afastasse as criaturas. O terreno da casa estava coberto de mato e fedia a alho e ervas. Eu sempre fui muito fresca com comida. A mãe insistia em nos tacar mato pra qualquer doença que tivéssemos. Agora, enquanto eu olhava ao redor, ela dizia ao Conrado que aquele amarelão que ele carregava não era nada bom e que ia preparar um chá de espinheira-santa e depois cozinhar uma panelada de inhame que ele deveria comer inteira. Pra mim, disse que faria abacate com tomate.

— Olha esse abacateiro! Tá minado de fruta. Cuidado pra não cair na cabeça de vocês. Depois eu tenho que tirar uns ali. Olha, é isso que tem me sustentado, porque nem sempre dá pra fazer as coisas.

Eu tenho ali na despensa um monte de mantimento, mas aí tem que fazer fogo e às vezes chama atenção. Prefiro não, mas também quando faço fogo asso tudo. Tem pão ainda. Eu não posso ficar muitos dias sem pão. Me tira qualquer coisa, menos o pão.

Ela falava sem parar e andava de um lado para o outro, cobrindo e descobrindo canteiros que estavam cheios de tudo: frutas, verduras, ervas, hortaliças, milho, tomate, morango, mirtilo, pitanga, tudo.

— Mãe, como as lagartas não comeram tuas plantas? Como não estragaram tudo?

Minha mãe me olhou com as sobrancelhas bem juntas e balançou a cabeça.

— Tu não é engenheira, minha filha?

Eu revirei os olhos e o Conrado fez que não com a cabeça, como se pedisse pra eu deixar pra lá.

— Primeiro: a maioria é touceira ou tubérculo. Segundo: sombrite.

Me aproximei do canteiro.

— Tela, minha filha. É bicho. Bicho a gente não deixa chegar. Quando chega, já era. Como é que tu e teu pai cuidavam das parreiras se não sabem nem o óbvio, o básico? Nem a faculdade nem teu pai, aquele inútil, te ensinaram nada?

Ela só estalou a língua em desagrado. A mãe e o pai tinham se separado havia alguns anos. Brigavam feito dois doidos. Ela querendo vida tranquila, ele querendo ampliar a vinícola. Não entraram em acordo, e a mãe foi embora. Veio morar na casa de praia que ficou com ela, em Arroio do Silva. Vida tranquila. Falávamos pouco ao telefone. A mãe nunca foi de se comunicar muito por telefone. Preferia visitas, coisa que nunca fazíamos. A vida corrida e tal, era o que dizíamos.

— Precisou chegar o fim do mundo pra vocês virem aqui, né?

— Daqui, vamos pra Florianópolis.

— Dizem que lá tem uma zona segura e que estão saindo navios para outros lugares.

— Florianópolis? Eu que não! Vou ficar aqui. Aqui garanto que é seguro. E logo essa bobagem termina. Esses bichos vão se esfarelar tudo e quem que vai sobrar pra refazer as coisas? Alguém precisa ficar. Além disso, tenho que cuidar do Sultão e das minhas plantas.

Não vou de jeito maneira. Vocês são muito firulinha. Nem parece que criei vocês. Tanto esforço e não aprenderam nada. Isso aí é que nem aquela gripe suína, que nem quando teve outra doença lá. Ai, não lembro. Depois passa.

Era por isso que não visitávamos a mãe com tanta frequência. Ela desatava a falar, e era difícil encontrar um respiro para atravessar palavras. Conrado e eu nos olhamos meio sem conseguir acreditar. A mãe não devia saber da dimensão catastrófica das coisas.

— Mãe, está tudo devastado. Não tem mais nada em lugar nenhum. Ficar aqui é escolher… — Conrado não conseguiu continuar.

— Morrer? — ela disse.

— É. Morrer.

— Pfffffffff Duvideodó. Vocês não sabem de nada. Eu já vi essas coisas aparecerem, comerem os vizinhos e depois secarem na beira da estrada que nem égua velha. A diferença é que os bichos ficam ali fedendo por semanas, mês até! Esses fiadasunha *puf*! Somem. Dá um pouco mais de uma semana, se não comem nada vão fraquejando. Vira tudo pó. Eu só tive o trabalho de jogar um balde de água por cima e varrer. É simples. É tudo simples. Meu Deus, essa gente complica tudo. Se fechem em casa, com comida, água, alho, ervas e pronto. É só esperar. E não ser imbecil de chegar perto quando tão recém-transformados. Ficam literalmente com sangue nos olhos. Daí não veem nada na frente. É só necessidade. Basta não ser burro.

— Mas mãe…

— Nada de "mas mãe", guri, não me ouviu? Se vocês querem ir, vão. Eu que não vou impedir filho adulto de fazer suas escolhas, mesmo que me pareça uma idiotice. Mas é bem a cara de vocês, mal chegaram e já estão indo. Nunca me meti na vida dos dois, nunca! Pode ser bicha? Pode. Sapatão? Pode. Transformista? Pode. Fazer arte? Pode. Tudo eu deixei. Posso falar isso com a boca cheia. Mas eu mesma vou ficar aqui, e se me pedirem conselho, mas só se me perguntarem mesmo, digo que o melhor é ficar. Mas eu sei que vocês não vão pedir é nada. Só acho que deviam descansar aqui uns dias, aí eu preparo vocês pra irem, se forem teimar mesmo. Mas depois, quando tudo isso passar, me prometam que vão voltar aqui pra me visitar e dizer — ela fez uma pausa e olhou bem fundo dos nossos olhos —: "Mãe, a senhora estava certa". Prometam. Eu vou pegar um papel pra vocês escreverem que prometem. A gente assina e eu coloco num quadro. Ouvimos um barulho de talheres dentro de casa novamente.

— Quem tá aí contigo, mãe?

— Ai, que saco. Vocês me incomodam. Não vai dar pra esconder por muito tempo, vocês vão passar uns dias aqui, então, que fiquem sabendo, mas não façam alarde. — Ela gritou para dentro da janela: — Vem logo aqui pra fora.

Não deu pra evitar o espanto e a alegria ao ver o pai.

— Pai! Como foi que...

— Eu vim direto.

Corremos para abraçá-lo.

— Quando a gente saiu do túnel, depois que começaram a atirar, corremos e pensamos que tu... nossa! Que bom que tu tá vivo! Como saiu de lá?

— Eu me escondi em um vão na pedra e fiquei lá até que um idiota ligou uma lanterna. — Ele parou e olhou pra parede. — Coitado. Foi destroçado. Nisso eu vi onde tinha um carro. Entrei rezando pra que não tivesse nenhuma coisa daquelas lá dentro. E saí atropelando todo mundo. Nem olhei. Vim direto aqui. Deixei o carro a uns dois quilômetros, quando acabou a gasolina. Ainda não fui lá buscar, porque tua mãe teima que não precisamos de um carro.

— Não precisamos de um carro mesmo, e onde que tu vai buscar gasolina? No posto da morte certa? Esse nunca muda.

— Enfim, tá lá o carro. Se vocês precisarem pra ir até Florianópolis, podemos pegar. Eu sei onde tem um posto, que não é o da morte certa. — Ele olhou para nossa mãe com sarcasmo.

— Podemos fazer isso amanhã?

— Claro.

— Isso. Encoraja os dois a ir, Vigo. Por isso sempre achei que tu era um péssimo parceiro. Aproveita e vai junto pra Florianópolis. Depois que eu te tratei. Pra que pegar carro amanhã? Vão ter que ficar uns dias aqui. Até eu preparar mais umas garrafas e deixar apurar bem o banho de proteção, até o sabão ficar bom, até brotarem mais... — Ela viu que ninguém prestava mais atenção. — Tudo bem, se não querem passar uns dias com a própria mãe, vocês é que sabem.

— Não é isso, mãe.

Conrado caminhou até ela e deu um beijo demorado em sua bochecha. Os olhos dela se encheram de lágrimas, e a mãe disse qualquer coisa sobre a magreza dele e sobre batata-doce.

Meu pai não disse nada. Só fez sinal para irmos todos para dentro. E fomos.

Nos três dias que passamos ali, minha mãe tentou nos fazer compreender por que aquilo de Florianópolis não era uma boa ideia. Todos os dias, ela bolava argumentos novos, mas nem por isso deixava de nos ensinar sobre as ervas e sua conservação, os óleos voláteis e seus usos, como deveríamos administrar o alho e quanto deveríamos levar de sabão para ter uma viagem segura até lá.

— A sorte de vocês é que aquelas cabeças já estão boas para tirar. Vou ficar uns dias sem, mas logo posso tirar aquelas outras ali, se continuar esse sol, talvez antes.

Durante a noite, sentávamos à mesa e comíamos algo delicioso que dona Carmem havia preparado. O pai procurava ajudá-la seguindo todas as instruções sem mudar uma vírgula sequer do que ela dizia. Eles estavam sendo carinhosos um com o outro e dormiam juntos.

— Eu e a sua mãe arrumamos um rádio. Estão dando notícia de Florianópolis.

— Querem que os trouxas sigam pra lá pra ajudar na lambança que fizeram.

— Bom dia, dona Carmem, acordou de bom humor.

— É que vocês querem me matar de desgosto. Porque é muita burrice ir pra lá. É muito raro eu perder o sono, mas vocês conseguiram fazer isso. Agora sei que estão todos vivos e bem, reunidos aqui. Mas vocês preferem o quê? Tentar sobreviver no caos. Me dá desgosto! De ter criado filhos burros.

— Mãe — Conrado abraçou dona Carmem por tempo o bastante para que ela cedesse à amorosidade. — A gente quer que tu venha também, vamos ficar juntos.

Cedi e fui ao encontro deles, mas, antes que meus braços pudessem completar o círculo de amor hippie ao redor deles e antes que meu pai pudesse pensar em se juntar ao nosso montinho de amor antiapocalipse, um chiado cortou a casa. A mãe logo gritou pra nos espantar.

— Olha o rádio! Pode ter alguma informação pra vocês.

Ficamos uma boa hora tentando entender qualquer coisa sem muito sucesso. Até que dona Carmem disse que ia fazer algo útil.

— Aí vocês levam a pasta e umas barras de sabão. Vem, Conrado, me ajudar.

Eu fiquei sentada com o pai. Ficamos quietos, observando a mãe e o Conrado e pensando na viagem próxima. Os dois mexiam em baldes, e se não fosse o cheiro fortíssimo de alho, as ervas, os temperos e as flores dariam uma boa fragrância até. Conrado sorria. Ainda estava magro, mas o banquete da mãe tinha tido efeito em sua pele. Estava mais corado.

— Mãe, tu tem razão, tudo pode ser mais simples. Olha essa riqueza!

Ele enfiou as mãos numa bacia com ervas secas.

— É, meu filho, é tudo muito simples. Pega aquele balde branco grande lá pra mim.

Conrado continuou falando enquanto obedecia. A mãe descascou uma cabeça de alho e jogou em outro balde, foi até a lona e pegou um pote debaixo.

— Afasta que é soda, meu filho.

Ela jogou o pó na água e a mistura enfumaçou a cara dos dois.

— Toda a comida desses dias e tudo isso o que tu tem aqui é natural, mãe!

— Naturalíssimo, meu filho, aqui é assim. Tudo reaproveitável, tudo econômico. Sustentável, como dizem agora.

— E não precisamos de mais nada. Isso é tudo, é suficiente e maravilhoso. E de origem vegetal! Tudo vegano, mãe! Vegano é isso! Podemos pensar em algo, se o mundo voltar a existir do jeito como conhecemos.

Dona Carmem não disse nada.

— O que tu acha, mãe?

Conrado parecia realmente animado, talvez porque via uma possibilidade ali, um elo para um futuro no qual ele acreditava, digno, limpo, sem crueldade.

— Hein, mãe, o que acha?

Dona Carmem tinha uma cara estranha. O pai, ao meu lado, controlava o rosto, talvez para não rir. Conrado tinha algumas folhas de hortelã e alecrim atrás das orelhas e cheirava com devoção uma barra de sabão. Seu cabelo estava levemente comprido e desalinhado, o que o deixava com um ar de deslocamento. Parecia um elfo, uma mistura de Poliana moça e Senhor dos Anéis. E talvez tenha sido por enxergar isso que dona Carmem não conseguiu mais segurar.

— Não é vegano, Conrado.

Ele abriu os olhos. O cão latiu. Meu pai soltou o riso. Eu segurei.

— Como não é vegano? Não tem nada de animal aqui.

— Tem, sim.

Conrado olhou ao redor e ao pousar seus olhos sobre o balde branco prestou atenção na pasta meio viscosa que ele continha.

— O que é isso?

— Banha.

— Banha?

Conrado deixou a barra cair na terra.

— De quê?

— Sabão se faz com banha, meu filho. E acho melhor nem te contar nada sobre essa aí que a gente está usando.

Conrado deu as costas para o balde e foi brincar com Sultão, como se pudesse se tornar invisível por um momento.

Eu levantei para ajudar dona Carmem com as misturas. Confesso que senti uma ponta de alegria. Não sei dizer direito por que tudo aquilo era tão engraçado. Mas era. Enquanto colocávamos os sabões em uma espécie de forma de madeira que a mãe tinha feito, ela me contou que a vizinha tinha morrido ali no pátio dela.

— Bem ali, ó, Constância, debaixo do brinco-de-princesa. Eu sabia que tinha que matar bem matado. Reparei que, se não arrancasse a cabeça, eles acordavam daquele jeito rapidinho. Aí, minha filha, eu tive que pensar que a Terê não estava mais ali.

— A Terê foi atacada?

— Não sei, mas ela caiu dura aqui. Eu que não ia esperar pra ver. Que dó. Mas o que eu ia fazer com todo aquele mulherão? Ela era enorme! Não pensei, minha filha. Tirei tudo da cabeça, deixei branco. Não era a Terê, era um corpo. Carneei e enterrei o resto. A banha misturei aí no balde, que tinha banha dos bichos que a gente matava pra comer. A cabeça esmaguei com uma pedrona. Eu não acho errado, sabe? Porque os transformados são o mal. Tenho dó dos bichos. Só que prefiro assim. Odeio carne de supermercado. Tu sabe! Sempre odiei, Constância. Frango sem gosto. Carne vermelha demais. Nesses frigoríficos e matadouros os bichos são abusados. Gente é uma peste, minha filha, uma peste que Deus fez e isolou aqui na Terra pra não se alastrar pro universo. Ainda bem!

Só pude concordar.

Mateus

Mateus olha pela janela e vê a roda-gigante, o carrossel e o navio pirata de um parque de diversões abandonado. Há pouco o ônibus de dois pisos saiu da BR-101, na esteira do blindado Urutu, dobrando pelas ruas vicinais de uma pequena cidade à beira-mar, com casas de teto de laje e fios pendentes dos postes. É uma periferia sem centro que nunca precisou da epidemia para adquirir sua aparência desolada.

— Que lugar horroroso. Por que paramos logo aqui?

Tulipa aponta para o outro lado da avenida, onde há um posto Petrobrás. Quase cinco horas de estrada tornaram a reabastecer uma necessidade. Ainda que não faltassem postos de combustível pelo caminho, todos estavam vazios, e cada parada era um risco e uma perda de tempo enormes. Alguém sugeriu que nos postos fora da BR-101 haveria maiores chances de encontrar combustível.

Estão agora em Caraguatatuba. Mateus sugere saírem um pouco do ônibus. Tulipa é contra, mas a dra. Sandra é favorável.

— Tulipa, depois de seis meses trancados naquele hospital e cercados de corpos secos, a última coisa de que precisamos agora é de alguém com trombose por causa da viagem.

Ela concorda. Avisa o coronel pelo rádio, e eles descem do ônibus em grupos: primeiro os agentes da polícia federal, formando um pequeno círculo, em seguida Mateus e os médicos. Não há nenhum corpo seco à vista.

Mateus faz um alongamento rápido e olha na direção do parque de diversões à beira-mar. Há quiosques com nomes como "point do prensado" e "rei dos churros". Um carrinho de picolé jaz virado, e uma gaivota dá rasantes insistentes sobre um quiosque, sem motivo aparente. No lado da cidade, ele vê os militares inspecionando as bombas de diesel do posto.

Romero recebe um aviso pelo rádio e alerta Tulipa.

— Estão vazias também.

— Merda. Não vamos conseguir chegar no Rio desse jeito.

— Talvez tenhamos mais chance em Ubatuba.

Ela olha o ônibus, olha o blindado, e atravessa a pista para conversar com o coronel. Mateus nota que a gaivota volta a dar rasantes sobre os quiosques do parque. Ele pode ver agora que há um corpo seco em meio aos brinquedos destruídos, arrastando os pés. É o cadáver de um adolescente com não mais de quinze anos. O pássaro pousa sobre a cabeça e bica pedaços de carniça, sem que o corpo seco esboce qualquer oposição.

Tulipa volta para eles e avisa que vão continuar procurando. Se não encontrarem nada, o blindado será deixado para trás. Os militares embarcarão no ônibus, onde há mais espaço.

Uma hora e meia depois estão em Ubatuba.

Os postos de combustível no caminho estão todos secos. Um caminhão tombado na estrada se mostra um fiapo de esperança. Não, alguém chegou antes e secou o tanque. Os dois veículos enfim param numa rotatória, entre um supermercado e uma borracharia. Tulipa desce com sua equipe de federais, seguida pelos médicos. Os soldados saem do blindado, trazendo galão e sifão, e começam a tirar o diesel do motor do Urutu.

Mateus também desce do ônibus e olha para o prédio do supermercado.

— Tulipa, e ali dentro?

— O que tem?

— Esses mercados grandes não costumam ter geradores? Ainda mais no litoral, onde falta luz toda hora. Por causa das geladeiras.

E geradores são movidos a diesel, ela conclui. O coronel escuta a conversa e gosta da ideia, não quer ter que abandonar o blindado. Não há corpos secos à vista. Ele separa alguns homens e prepara um grupo para entrar no supermercado.

Romero se aproxima de Mateus.

— E aquela sua mochila?

— Tá ali no ônibus. Por quê?

— Tem uma térmica de café aqui, um chocolatinho ia bem.

— Não são para comer, são uma promessa. Pro meu irmão.

— O que estava em Santa Maria?

— É.

Romero não diz nada. Mateus ergue os ombros.

— Sei lá, alguém pode ter sobrevivido.

— Claro. Não temos como saber ainda.

Romero olha para os soldados se preparando.

— Mas não pode ser que sejam os *últimos* chocolates do Brasil. Deve ter alguma coisa lá dentro ainda.

— Ei, eu te dou um Bis. Você não vai entrar lá só por causa disso.

Romero balança a cabeça em negativa. Eles precisam de mantimentos. Chama Tulipa e anuncia sua intenção de acompanhar os soldados para ver se encontra qualquer coisa que possa ser útil — água, biscoitos, qualquer comida. Ela hesita, mas acaba concordando. Na correria da fuga do hospital, não houve tempo de trazer muita coisa.

— Vou com você — Tulipa diz, por fim.

À primeira vista, o interior do supermercado parece deserto. Assim que ultrapassam a fila de caixas, deparam com dezenas de corpos secos espalhados pelo chão, deitados e imóveis feito um grande grupo de campistas desabrigados. Alguns já eclodiram e têm os ossos das costelas expostos, a carne ressecada parecendo uma escultura de areia desfeita.

Tulipa resmunga.

— Não é seguro. Não temos como saber em que estágio estão.

Corpos secos terminais podem ser mais perigosos do que em estado feral, justamente por não se saber em que ponto estão no processo de corpo-secagem. No quarto estágio, ainda são capazes de pequenos movimentos e de se arrastar. No quinto e último estágio, quando ficam imóveis, podem eclodir a qualquer momento, liberando esporos. Mas não é isso o que indigna Romero.

— Que merda eles vieram fazer aqui dentro?

— Reflexo condicionado, talvez.

— De ir no mercado?

— Sei lá. Não gosto disso também.

Ela expressa sua opinião ao coronel, mas ele insiste: estão armados, e aqueles corpos secos parecem mesmo em estado terminal. Se os soldados forem em fila, buscando um caminho seguro, podem ir e voltar do gerador nos fundos em segurança. Tulipa não o questiona. O coronel se agarraria a qualquer ideia que possibilitasse manter o blindado ativo, e ela não pode culpá-lo por isso. O blindado é útil. Mas, por via das dúvidas, Tulipa diz a Romero:

— Vamos por último. Não faz sentido correr riscos desnecessários.

Eles contornam uma gôndola, encontram um corredor livre de corpos secos e avançam em fila indiana. Deixam o grupo maior, avançando por uma trilha que lhes parece segura em direção ao corredor de produtos matinais. Tulipa nota que das prateleiras de pães quase tudo já foi levado, exceto alguns integrais, já verdes de tanto mofo. Ela apalpa um pacote.

— Mesmo mofados, continuam macios.

— Sou do tempo que pão velho endurecia.

— Assim como os mortos. Vê se encontra café.

Ainda há dois ou três pacotes de café, fechados a vácuo. E uma mulher sentada no chão, imóvel e de cabeça baixa, vestindo macacão e botinas. Romero se aproxima devagar.

— Cuidado. Não sabemos em que estágio ela está — diz Tulipa.

A mulher ergue o rosto e parece encará-los mesmo sem olhos. A boca abre soltando um ronco gutural. Romero acerta um tiro na cabeça dela.

O coronel pergunta no rádio o que foi isso. Tulipa o tranquiliza: um corpo seco solitário. O coronel avisa que estão chegando à área de estoque.

Romero pega os pacotes de café. Eles escutam passos no outro extremo do corredor. Dois corpos secos vêm se arrastando em sua direção: o primeiro é um homem gordo com uma camiseta de vereador, o segundo é uma mulher loira muito magra de maiô, com a carne no queixo já se desprendendo e deixando o osso do maxilar visível. Tulipa toca no ombro de Romero e sugere saírem dali enquanto os militares fazem seu trabalho.

A voz do coronel estala no rádio.

— Está cheio!

Tulipa sorri aliviada, imaginando que ele falava do gerador de luz. Em seguida, escuta tiros vindos do estoque. A voz estala outra vez.

— Está cheio! Recuar!

Passos confusos e acelerados. Mais tiros. Tulipa puxa o rádio do colete.

— Coronel, o que está acontecendo?

— Está cheio deles aqui no fundo. Recuar. É uma ordem.

O primeiro soldado vem apressado, erra o caminho e passa muito próximo de um corpo seco terminal, tropeça e cai sobre o cadáver farelento, levantando uma pequena nuvem alaranjada de esporos, que atinge tanto ele quanto o soldado que vinha logo atrás.

Gritaria. Os demais soldados mandam os dois ficarem longe. A agitação faz despertar os corpos secos espalhados no chão que não estão no estágio 4. Eles se arrastam num lento serpentear. Enquanto isso, não param de sair mortos dos fundos do supermercado. Ouvem-se tiros. Mais alguém grita. Uma granada estoura na área do estoque com um estampido agudo e ensurdecedor.

Tulipa e Romero assistem à cena tensos, quase esquecendo os dois corpos secos que se arrastam pelo corredor em direção a eles. O gordo de camiseta tem um pico de força e dá o bote em Tulipa, mordendo seu braço. A mordida não é forte o bastante para rasgar o tecido do casaco. Ela dispara na cabeça dele e o afasta com um empurrão. Já Romero sofre o bote da loira de maiô e atira na cabeça dela, mas acerta no canto do queixo. A mulher continua avançando. Romero recua um passo e tropeça na outra, sentada. Quando cai no chão, a loira de maiô avança sobre ele e o morde no braço. Romero não usa casaco, sente a mordida e solta um grito, menos de dor e mais de pânico. Puxa o gatilho e dispara outra vez contra a loira. Dessa vez acerta a cabeça, e ela tomba ao seu lado.

O rádio estala de novo. É a voz de Mateus.

— Há, Tulipa, Romero? É melhor vocês voltarem. Tipo, rápido.

Romero se levanta do chão e olha para si próprio.

— Ai, não… merda…

Ao cair por cima da mulher sentada, o braço dele rompera alguns cogumelos e fungos que já se formavam sobre ela. As manchas alaranjadas dos esporos cobrem sua pele, as marcas de mordida em seu braço, seu rosto. Romero fica nervoso. Seu braço treme. Ele olha para Tulipa. Há medo no rosto dela.

— Romero, calma.

— Merda, merda, merda.

Antes que ela possa fazer qualquer coisa, ele mesmo se dá um tiro na cabeça e cai morto. Tulipa ergue as mãos com o susto. Mais tiros e gritaria vêm dos fundos do supermercado. Ela guarda a pistola e recua. Já está perto da fileira dos caixas. Alguns corpos secos se arrastam vagarosamente em sua direção. Tulipa pula por sobre um balcão e corre para a saída.

Do ônibus, Mateus observa Tulipa vir correndo do supermercado. Ele olha ansioso para o outro lado da avenida. O barulho atraiu a atenção, e vários corpos secos agora saem das casas e surgem nas ruas dos arredores. Ao seu lado, a dra. Sandra comenta impressionada:

ꞏ — Olhe como eles se abrigam na sombra. É fascinante, isso. Quando a atenção não está voltada para o instinto predatório, o movimento natural é buscar proteção do sol. Minha nossa, se tivéssemos tempo de colher amostras...

Tulipa fala algo para os soldados que tiravam o diesel do blindado, todos agitados. Eles ficam olhando para o prédio do supermercado, à espera de mais alguém que saia lá de dentro. Não vem ninguém. Os mortos na rua chegam perigosamente perto. Entram todos no ônibus, Tulipa, seus agentes federais e os dois soldados que restaram, com o galão de óleo diesel. Não haverá tempo para reabastecer o ônibus ali, terão que fazê-lo mais tarde.

Em seguida, o motor é ligado e o ônibus se movimenta. Tulipa sobe as escadas até o segundo andar e pergunta pela dra. Sandra.

— Preciso falar com você, doutora.

Do seu assento, Mateus estica o pescoço.

— Cadê o Romero?

Tulipa balança a cabeça. Mateus respira fundo e mergulha na poltrona. Ele observa o ônibus avançar pela BR-101 com uma sensação ruim na garganta. Não de pesar, mas de inevitabilidade. Lembra uma coisa que Romero lhe disse algumas semanas atrás: "Já estamos todos mortos, agora é só continuar andando para ver até aonde chegamos".

Uma hora depois, o ônibus para.

Mateus havia adormecido e acorda num sobressalto. Está na primeira fileira de assentos. A estrada faz uma curva à esquerda, mas está bloqueada pela queda de uma barreira. Há pedregulhos, grandes blocos de terra, grama e um poste de luz caído no caminho. Sandra toca seu ombro.

— Mateus, vamos ter que descer.

Ele pega a mochila e desce com os demais. Todos discutem se há como abrir espaço para o ônibus passar. Não há.

Alguém lembra que estão a uns seis quilômetros de Paraty, o que daria uma caminhada de mais ou menos uma hora. Sandra diz que ali estarão numa região litorânea cercada por morros e por uma reserva ecológica de mata atlântica. A densidade populacional não só já era menor ali no tempo dos vivos como os corpos secos não costumam ir para áreas de mata selvagem, embora não esteja muito claro porquê.

Tulipa concorda em ir para lá. As amostras e os dados da pesquisa são divididos entre as mochilas dos médicos, e Sandra coloca o HD na de Mateus.

— Nossa. Isso tudo é Bis branco?

— É uma longa história, doutora. Se quiser pode pegar um.

— Não, não. Por hora, só cuida bem desse HD.

— Eles já vão me proteger de qualquer jeito. *Você* devia levar isso. Como garantia de que não vão te deixar para trás.

— Não é esse o ponto, Mateus. Qualquer que seja o segredo que mantém seu corpo vivo, cheguei a meio caminho de decifrar. Outros podem continuar de onde parei. De você, não temos como fazer cópia.

Ela sorri, tranquilizadora. Estar naquela posição incomoda Mateus, todos os sacrifícios o deixam desconfortável. De certo modo, a visão do falecido Romero para a situação era reconfortante. Era um jeito de tirar o ego do caminho ao considerar o futuro como inevitável. De mochilas nas costas, Mateus fica ao centro, os médicos ao seu redor, e os agentes federais e os dois soldados restantes no círculo mais externo. Tulipa verifica a munição em sua pistola e anuncia:

— Certo, vamos colocar esse banquete ambulante para caminhar.

Murilo

É difícil pensar em viagens. As portas dos carros fecharam. Os dois carros seguiram pela estrada, um atrás do outro. Passaram por túneis engarrafados, deram a volta, subiram em grama, cometeram um monte de infrações. A gente parou pra comer no carro e, enquanto eu comia um pão duro, a Pilar quis vomitar. Ela não comeu muito mais depois disso. Tanto não comeu que morreu dias depois. É difícil pensar nisso.

A Camila me chutou quando eu perguntei se tinham sido os bichos.

— Desidratou. Ela tava sem comer tinha um tempo — foi a resposta.

A questão das perguntas. Falar, explicar, colocar aquilo em palavras, parecia doloroso pro Cauã. Ele levou o corpinho molenga pra longe da gente. A mãe foi do lado, fungando. Quando voltou, o Cauã conversou um pouco com o tio Danilo e o tio Quincas. Eles se abraçaram e choraram. A Camila também chorava, e foi quando notei que umas lágrimas minhas caíam na calça jeans imunda. É difícil lembrar os detalhes. Eu busco, mas falta. Assim como falta comida, falta conseguir explicar.

Não é só difícil, também é estranho pensar nisso. Como se as palavras que eu sabia não servissem muito. Na escola, eu tinha um amigo que tinha um pai agiota. Isso quer dizer que ele emprestava dinheiro. Meu amigo já tinha idade suficiente pra ir fazer os depósitos no banco, então ele ia. Andava com muito dinheiro, e só eu e ele sabíamos. A gente ia no banco e preenchia envelopes. Eram tipo três mil reais em notas de cem, de cinquenta. Um dia, perguntei o que acontecia quando as pessoas não pagavam o pai dele.

— É. Ele tem várias cadernetinhas.

Meu amigo parou na frente do banco, antes de entrar na área dos caixas eletrônicos. Naquele dia, o envelope já vinha preenchido de casa, com o nome de uma pessoa que a gente não conhecia.

— Meu pai é agiota — ele disse.

Eu ri. Mas sabia que era verdade. O pai dizia pra ele carregar um canivete suíço quando ia ao banco. E insistia pra ele levar o celular onde quer que fosse. Também tinha um monte de homens que trabalhavam com ele, grandes, que apareciam de vez em quando. Mas, só naquele momento, meu amigo entendeu que o pai dele era agiota.

Eu estava sendo aquele meu amigo naquele momento. Hoje vejo que era criança, que aqueles que deveriam cuidar de mim nem sempre podiam cuidar dos outros. Tanto não podiam que um dia a Camila foi embora. Quando encontramos uma clareira nova, ela disse que ia no banheiro com o Pancho. Disse que ia mijar. Foi pro mato, onde a gente geralmente mijava. Eu peguei no sono, porque ela saía pra mijar o tempo todo. E ela não voltou. Todo mundo entendeu algo que eu não entendi.

E é difícil pensar nisso. Como se meu cérebro tivesse escolhido pensar em outras partes, nas árvores, na minha insônia. Eu olhava pela janela escura do carro e não entendia nada. Ficamos o dia todo e mais uma noite buscando. Eu segurava o Baleia e trocava a água sempre que podia. Nos ajeitamos pra ir. Quando a mãe viu que os bancos de trás ficaram vazios, saiu do carro e gritou:

— Quem sabe a gente não junta tudo?

Juntamos os carros. O grupo inteiro agora cabia em um carro só.

Isso e aquela vez.

Que o tio Danilo saiu atrás da Camila.

— Ele era meu irmão — a mãe disse.

O tio Quincas gritava e chorava. Ela sussurrou algumas coisas pra ele. Tentei ouvir uns grunhidos de novo, mas havia só silêncio. O que restava era silêncio.

— Ele decidiu que era melhor assim.

Olhei pra mãe. Ela ainda sussurrava coisas que o tio Quincas respondia. A bebê comia uma parte molenga e nojenta de uma banana. A mão dela estava suja de banana. Tudo fedia a banana. O tio Quincas sorriu. Eles se viraram e abraçaram a bebê. Depois abraçaram o Cauã. Eu abracei todo mundo na altura da cintura. Não chorei. A mãe me fez carinho no cabelo sujo.

No carro, fechei os olhos pra tentar dormir e pra não olhar as feiuras que apareciam pela janela.

— Ele foi mordido — a mãe disse. — Não tinha levado a arma.

— Mas tu levou a arma! — disse o tio Quincas.

Um xiu. A mãe olhou pra estrada, fungando.

— Tu fez certo — disse o Levi.

— É que o bicho se distraiu com a mordida e... eu não quis chamar a atenção. Vai saber se esses bichos andam em grupo. Aí matei a facadas.

Ela fungava muito.

Não só difícil, é estranho pensar nisso.

Quando chegamos a Porto Alegre, eu já não sabia bem os dias. Na verdade, não sabia nem antes. Às vezes, seguíamos pela noite, e andava escurecendo muito. Eu comia umas latas de milho quando minha mãe me mandava comer. Comecei a ficar mais com a bebê no colo, porque agora tinha menos adultos ali. Me levaram em um dos reconhecimentos. A mãe me tapava os olhos volta e meia e insistia pra voltar. Me explicaram que os corpos secos comem gente e que pessoas mordidas viram corpos secos. Explicaram que é contagioso. Que tem corpos secos que são perigosos, que são rápidos que nem nós. Eu achava que não era mais criança só porque tinha visto uns corpos de gente mordida. Mas eu era bem criança ainda.

Antes de Porto Alegre, ainda em Canoas, perdemos o carro. Todo mundo saiu pra pegar comida. E o Levi disse que tinham roubado o carro. Na verdade, tinham roubado *do* carro. Ficamos sem gasolina e os galões de reserva. Ficamos sem parte dos suprimentos, a água, o óleo, a comida. Os cobertores ficaram. O Baleia ficou. Era suficiente pra improvisar mochilas e seguir. Começamos a ver mais gente quanto mais nos aproximávamos de Porto Alegre.

— Não tem como fugir da zona urbana agora — disse a mãe.

A gente precisava ir pro Centro, na Duque de Caxias. Era onde morava a mãe do Cauã. Depois, na Miguel Tostes, moravam duas primas do tio Quincas. Os pais dele estavam em São Paulo, mas as tias podiam ter notícias.

A gente se movia grudado nas paredes. Em geral, uma dupla ia e a outra ficava. Pareciam atacar, e eu não sabia se eram pessoas ou corpos secos. Lixeiras eram bons lugares e demoramos a achar uma vazia. Na verdade, não estava. Tinha uma pessoa comendo outras pessoas dentro da lixeira. O tio Quincas foi mais rápido e deu uma facada nas costas do bicho. Depois bateu com um pedaço de paralelepípedo na cabeça. Me ensinaram depois que é sempre melhor dar facada do que dar tiro, porque dar tiro chama muito a atenção.

Eu não sei se era bicho.

Não conhecia Porto Alegre. Não tinha morado ali. Eu conhecia a casa da vó (da Pilar e da Camila), e a ideia era levar ela pra nossa lixeira. Ou, se estivesse seguro, ficaríamos todos no apartamento. Já haviam revirado o Bom Fim, onde ficava a família do tio Quincas, e estava todo tomado. Era uma zona perigosa, e muitos edifícios pegavam fogo. Eles não sabiam por que nem como.

— Quero ver — eu disse.

— Só se for sozinho — o tio Quincas disse. — Porque eu não volto lá, não.

A mãe sempre discutia muito pra eu não ir nas missões. Em geral, eram grupos com ela e o Levi, ou o Cauã e o tio Quincas, ou outros, dependendo das pessoas que cada missão requeria. Mas eu conhecia a vó Tina. Ela me dava presente de Natal, mesmo se fosse pra eu não ficar de mão abanando do lado da Pilar e da Camila.

Eu já tinha perguntado quando a gente ia ver meus avós, o Mateus e meu pai. Mas a mãe só falava que as coisas não eram simples assim, que nada era simples assim. E começava a chorar. E o choro ecoava por toda a lixeira, com todo mundo aninhado debaixo de um cobertor de lixo que a gente depois usava pra se esconder. O Cauã abraçava ela e fazia "xiu, xiu". Eu nunca soube se era pra acalmar a mãe ou só pra ela parar de tremer a lixeira e chamar a atenção.

No dia seguinte foi quando saíram pra buscar a vó Tina. Eu disse que ia fugir se tivesse que ficar socado ali com a bebê de novo. A mãe não respondeu.

— Eu fico com a Lulu — disse ela depois. — Podem ir.

Fomos eu, o Cauã e o tio Quincas. O Levi queria achar novas fontes de água e disse que iria sozinho. Teve uma discussão. Ficou definido que ele iria, mas tomaria cuidado. Parecia idiota pedir cuidado. A gente sempre tomava cuidado.

— O centro de Porto Alegre sempre pareceu meio desolado, mas agora... — o Cauã disse.

O tio Quincas deu uma risada. Estávamos chegando à Praça da Catedral. Havia pessoas dormindo na rua, em grupos. Nos afastamos, porque poderia ser uma emboscada. Às vezes, um dos adultos ia na frente e eu ouvia os grunhidos e os baques da faca. Eu podia ser criança, mas sabia que a estratégia no meu caso era me esconder e fugir. Tudo era lento. Demos a volta na quadra e subimos de volta pela Borges.

Eu nunca tinha circulado muito pela cidade. Muitos dos prédios estavam cobertos com tapumes, mas o Cauã ia apontando o que alguns tinham sido antes de tudo aquilo.

— As pichações... elas têm progressão.

Tio Quincas apontou um grafite grande de um corpo seco de olhos vermelhos fumando um cigarro com Che Guevara, Mickey Mouse, Hitler e papa Francisco. Estavam todos sentados em caveiras, rindo.

— Deve dar uma dissertação interessante em teoria da arte. Quando tudo isso acabar, precisam registrar isso.

O Cauã olhou pro tio Quincas e perguntou:

— Você acha que vai acabar?

— Se não acabar, a gente acaba. Alguma coisa vai acabar.

Algumas frases mais engraçadas nos chamavam a atenção, tipo trocadilhos, tipo MEU CORPO É SECO DE ÁLCOOL. Quando chegamos no topo do viaduto Otávio Rocha, olhamos a cidade se estender. Algumas pessoas se arrastavam pelo chão, algumas estavam caídas comendo. Havia muita gente de uniforme militar, já desarmada, sem botas ou colete. Gente se arrastando.

Entramos no edifício pela garagem e demoramos quase uma hora. Não só porque fomos devagar pra evitar pessoas, armadilhas e alarmes, mas também porque fomos procurando coisas pra roubar, abrindo porta-luvas e investigando. Demoramos para arrancar o couro dos bancos de um carro que já estava aberto. Conseguimos encontrar uma garrafa de água, lanternas, pilhas, um pacote de Cheetos Requeijão, uma mochila vazia, camisinhas. Havia muitos corpos, mas o Cauã não me deixava chegar perto de nenhum.

Atrás do tapume na entrada do edifício, a porta, que costumava ser de vidro, já estava quebrada. Passamos com cuidado. No saguão, a televisão do porteiro estava desligada. Ele estava morto, tinha levado um tiro na cabeça. Ao redor do porteiro, havia um grupo de corpos secos em silêncio, em posições esquisitas. Enquanto o tio Quincas e o Cauã tentavam achar a escadaria de incêndio, eu me aproximei.

Todos estavam imóveis e caídos. Todos tinham buracos na cabeça. Seu Fernando já não tinha parte das pernas, e alguns dos sequinhos tinham pedaços dele na cara, como acontece quando a gente come coxa de galinha. Meu estômago apertou, senti o vazio esvaziar mais, um arroto que era uma dor no peito. Eu não sei tantas palavras. Quando abri a boca pra vomitar, senti a mão do Cauã. O susto me parou. Ele olhou pra cena e pra mim.

— Não conta pra sua mãe, tá bem?

Fiz que sim com a cabeça.

Subimos pelas escadas. Foi lento, não só porque a vó morava no décimo primeiro andar, mas porque tudo exigia que um fosse na frente, depois outro fosse na frente. Eles se alternavam subindo um ou dois andares e dando um assobio pra avisar que estava liberado.

No corredor do décimo primeiro andar, tinha várias pessoas. Mas todo mundo estava morto, ou semidevorado. Estava escuro, e nos guiamos pela lanterna. As portas dos apartamentos estavam entreabertas ou escancaradas. Aquilo estava demorando. Comecei a dizer:

— A gente poderia entrar nos apartamentos e...

Ouvi um xiu. Cada vez mais, eu aprendia que o apocalipse era feito de xius. De silêncio e mais silêncio. Entramos no apartamento da vó Tina em silêncio. Estava sem os tapetes. Os pratos de cerâmica tinham sido atirados e quebrados. O fogão havia caído de lado. A biblioteca estava vazia. Os móveis de madeira já tinham desaparecido, ao menos em parte. Nem as lâmpadas haviam ficado.

O tio Quincas e o Cauã foram quarto por quarto. Alguns ainda tinham colchão. Os banheiros tinham algumas coisas de higiene pela metade, que eles foram roubando. O Cauã tentou ligar a água do chuveiro, mas só saiu barulho. Ele sabia onde tinha umas coisas embaixo do assoalho, e recolheu também.

— Nem tudo está aqui. Falta coisa. Joias, fotos…

— Então ela pode ter ido embora?

— Acho que sim.

— Ou foi assaltada antes de tudo.

Eles não riram. Andei pelo apartamento, que parecia menor do que antes. O Cauá tirou umas fotos de porta-retratos e colocou na mochila.

— Já vai escurecer.

Pegamos o que dava. Tentei mostrar serviço e consegui pegar umas coisas perdidas em lugares baixos ou difíceis de chegar. Já no corredor, um senhor que estava acinzentado de olhos abertos disse:

— Cauá…

O Cauá se virou.

— Ô, Bernardo.

Ele foi até o homem com diversas marcas de mordida, mas sem sangrar. Eu quis me aproximar, mas o tio Quincas me segurou. Aquele senhor atirado contra a parede estava se juntando a toda a escuridão. O Cauá se abaixou e tocou o rosto dele.

— Tu tá fervendo — o Cauá disse.

— A febre.

— E a mãe?

— Foi pra Florianópolis.

— Com quem?

Bernardo pareceu querer se sentar. Ouvi uns barulhos de madeira estalando. Ele parou, gemendo. O Cauá olhou ao redor e ofereceu a água que a gente tinha recolhido, mas o velho afastou o braço.

— Todo mundo em Florianópolis, Cauá.

— Foi com a Clara? Ou o Juliano levou ela?

O velho fez que não com a cabeça, respirando devagar, os olhos fechados. Parecia que um champignon crescia na orelha dele. Ou um inseto branco. Cauá tinha o rosto inteiro amassado.

— Me ajuda, Bernardo. Achar.

Bernardo bufou. Ele estendeu uma faca pra Cauá e apontou pro próprio peito.

— Vou me transformar.

O Cauã pegou a faca. Como se mirando, a aproximou do peito do homem e a afastou. Murmurou uma contagem de três-dois-um, mas no "um" deu um passo pra trás.

— Vamos — o Cauã disse pra gente.

Bernardo gemeu ao fundo, tentou gritar. Andamos mais, e tio Quincas e Cauã discutiram se tinha sido a coisa mais moralmente justa a se fazer, deixar o homem vivo lá. Não ouvi. Os grunhidos do homem ecoaram em mim até eu ver a mãe de novo.

Entre silêncios e xius, o que restavam eram as discussões. Dentro da caçamba de lixo, depois de contar o que havia acontecido, ficamos discutindo pra onde seguir. Fiquei quieto.

Levi tinha ouvido que em Florianópolis as coisas estavam melhorando. Disse que tinha conseguido ouvir num rádio. Então tirou o tal rádio do bolso. Uma mensagem gravada se repetia de novo e de novo.

— É obviamente uma emboscada — disse o tio Quincas. — Se não, todo mundo estaria indo pra lá.

— Mas todo mundo *tá indo* pra lá — disse o Levi.

Eles discutiram aquilo por algumas noites. A mãe e o Cauã pareciam querer ir pra Florianópolis. O Levi parecia querer ficar em Porto Alegre por mais uns dias, pegar mais transmissões pelo rádio, talvez tentar achar conhecidos, já que havia muita família por ali. O tio Quincas queria ir pra fronteira, e sempre que dizia aquilo apertava a mão da Lulu.

As discussões passavam mais rápido que os dias, e eu nem ouvia tudo, porque não ia mais nas missões. Ficávamos eu, o tio Quincas e a bebê guardando nossas coisas, as fotos, a comida, a água. Os adultos alternavam quando alguém se machucava ou cansava. Mas, em geral, era o tio Quincas. Eu, o tio Quincas e a bebê às vezes parávamos na vitrine de uma sorveteria na frente. Fingíamos fazer pedidos.

— Vou querer o de flocos com pedaços de Bis.

Eu sempre queria o de flocos. E gosto muito de Bis.

— Vou querer o de pelo de unicórnio com confetes de paçoca!

A gente ficava na rua na frente da caçamba tomando sorvete imaginário. Tentava deixar a Lulu caminhar, ela tava crescendo bastante. Conversava com ela, e o tio Quincas me contava que tinha medo que a Lulu tivesse algum problema de desenvolvimento por causa do apocalipse. O tio Quincas era uma das poucas pessoas que me ajudava com o Baleia, e duas vezes saímos pra procurar água pra ele, e não pro grupo. Uma vez, ele voltou de uma missão com vários potinhos de comida pra peixe.

— Achamos um pet shop — ele disse.

Eu sentia no tio Quincas uma preocupação em me ensinar coisas. Ele gostava de usar palavras difíceis, tipo "idiossincrasia", que inclusive me fez escrever várias vezes no papel que a gente usaria pra queimar mais tarde. Me contava coisas de história da arte. Uma vez, me contou que se soubesse que o apocalipse ia acontecer teria ido pro Louvre alguns dias antes.

— Eu teria ficado trancado lá. Teria sido minha fortaleza, sabe? — Ele sorria. — E ia tacar fogo na *Mona Lisa*, que um monte de gente só para na frente porque falam pra parar na frente. Ia derrubar o *Davi* de Michelangelo pra construir uma barricada com aquele pintinho minúsculo. Ia proteger as múmias. A arte assíria. Isso, sim. Toda aquela produção persa... Isso que é arte.

Ele me disse aquilo duas vezes. Na terceira, já seguia com o mesmo discurso, em uma descrição cuidadosa de uma estátua de Shedu, quando parou e sorriu.

— Mas eu me contentaria com o Malba, sabe? Arte moderna não é nada má. *Pas mal de tout*. Eles têm o *Abaporu* lá.

Ele sorria e fingia que dava colheradas de sorvete pra Lulu. Ela tinha começado a dar mais de três passos seguidos, e isso era a coisa mais importante pra gente.

A bebê já estava quase completando quatro passos seguidos quando a mãe e o Cauã foram numa missão pra começar a calcular a rota pra Florianópolis. Todos estavam juntando suprimentos desde que haviam começado a discutir. Rabiscavam o mapa. Fiquei com a bebê ("na caçamba, sem sair da caçamba", tinha dito a mãe, mas a gente ficava na rua) enquanto o Levi e o tio Quincas saíam pra verificar se tinha algum veículo que a gente pudesse usar.

Quando voltou, o Levi disse:

— Ué, mas e o tio Quincas?

Dei de ombros.

— Ele me disse que ia voltar antes, porque tava se sentindo mal…
o sol tava no pico ainda.

Quando a mãe e o Cauã chegaram, contamos. O Cauã começava
a se preparar pra ir atrás dele quando mostrei a carta que o tio Quincas
havia me dado, um panfleto com promoções do supermercado no
qual escrevera com canetinha.

— Só quando todo mundo estiver junto, tá bem? — ele me
dissera.

E me dera um beijo no rosto.

Queridos,

*Precisei ir. Queimem essa carta pra fazer calor, mas não guardem
nada além disso. É como se fosse uma aposta, entendem? Se eu sobreviver, se eu estiver certo, ela vai morrer, mas o espírito de nossa família,
do Danilo, vai sobreviver comigo. Se eu estiver errado, ela vai viver, e
o espírito de nossa família, do Danilo, vai sobreviver com ela. Sei que
parece estranho e louco, mas tudo isso é estranho e louco. É tudo capita-
lismo e esquizofrenia, sempre foi. Não vou pedir que cuidem da Luciana.
Façam o que precisarem fazer. Cuidem do Murilo. Saibam que não foi
uma decisão fácil.*

Perdão por todos os imperativos, inclusive esse maior de todos.

Quincas

Eu já tinha lido, porque o tinha visto escrever, porque já tinha
ouvido aquele plano. Tinha sido inclusive convidado a ir junto.

— Você é adulto suficiente pra tomar essa decisão, sabia? — o
tio Quincas me dissera.

Mas eu, apesar de ainda muito criança, era adulto suficiente pra
ficar. Pra escolher ficar. Depois daquilo, me tornei adulto o suficiente
também pra ajudar a tirar três corpos de uma carroça de catador de
lixo. Era ainda mais adulto para ajudar a puxar uma bicicleta com
um pneu furado.

Foi naquele ponto que parei de ser criança. Não exatamente nele.

Foi no ataque. Dos corpos secos.

Foi na rapidez, na saída da cidade. No puxão do Levi.

Regina

Abre os olhos e vê as ripas de madeira pintadas de branco, um lustre simples no centro. O quarto está na penumbra, não encontra as teias de aranha. Vira-se de lado e estranha a falta do marido. Estende o braço, está numa cama de solteiro, num quarto pequeno. As persianas metálicas estão fechadas, a parede oposta está listrada como uma zebra. Um ventilador mínimo gira sobre o armário de madeira escura, espalha o calor. Ela se apoia nos cotovelos sem saber onde está, senta-se na cama e observa as mãos e os braços. Passa os dedos sobre a pele, sente os cortes. As unhas estão quebradas. Usa uma camiseta branca, larga, que não é sua. Procura a roupa pelo quarto, mas não encontra.

Regina se ergue, sente dores nos músculos, abre o armário, a porta range. Está vazio, com cheiro de naftalina. Vai até a porta, gira a maçaneta com a estranha sensação de que estará trancada.

A porta se abre.

Regina pisa descalça nos azulejos brancos do corredor. O dia está claro lá fora, a luz reflete no chão. Há outras portas fechadas, ela vai até o final e entra numa sala ampla, com portas de vidro, que dão para um gramado verdejante e a piscina.

O medo martela na cabeça. Há uma mesa de pebolim, outra de sinuca, coberta por uma lona. Uma cozinha estilo americano, vazia. Uma mesa redonda de plástico, com quatro cadeiras. Tudo muito limpo, mas a poeira vermelha insiste em entrar pelas frestas.

Crianças gritam na piscina. A água é mais azul que sabão em pó. Uma bola inflável, enorme, vermelha e branca, salta da água e estala no granito bege. A menininha de cabelos molhados sobe pela escada, passa por um tobogãgua azul e corre para o gramado atrás dela.

— Cuidado pra não cair!

Uma babá assustada, jovem e toda de branco, está sentada na ponta de uma espreguiçadeira, com os pés tortos e as costas curvadas. Tem feições indígenas, cabelos muito pretos presos num rabo de cavalo. A menina mais velha grita do colchão inflável, o gordinho com cabelo escorrido na testa ri e a sacode.

— Pare! Pare, João Lucas!

Seus pés se erguem no ar, mas ela continua à tona e joga água na cara do menino, que se afasta tossindo.

Na mesa sob o ombrelone há uma jarra com líquido alaranjado. O vidro está suado. Regina sente nos lábios o frescor daquele suco e dá um passo a mais, empurra a porta de vidro e pisa no granito morno.

A babá corre na direção de Regina com uma toalha, para cobri-la. O menino na piscina está estático, a boca pendente, água batendo nos peitinhos. Olha fascinado as pernas da visitante.

Regina está embrulhada na toalha, segura um copo vazio do suco que acabou de beber, quando a velha com cabelos presos num coque vem da casa principal. Usa uma saia verde que termina um pouco acima dos sapatos baixos e uma camisa salmão antiquada. Parece vestida para a igreja.

— Vamos arrumar ela, o dr. Eduardo chegou.

As três crianças a observam da piscina, o menino com o queixo apoiado na bola. Ela é puxada através do gramado para a entrada de serviço. A velha manda a babá se apressar, elas a enfiam num banheiro apertado e, momentos depois, lhe entregam suas botinas e roupas, ainda úmidas da lavagem.

Regina se veste com medo, não encontra as meias e se irrita. Sai do banheiro e vê uma menina enfiando roupas na máquina de lavar de qualquer jeito. É tímida, baixa o rosto sem dizer nada. Regina vai à cozinha, onde duas garotas, instruídas por uma mais velha, terminam de preparar o almoço.

— O seu Eduardo gosta do arroz soltinho, sua burra!

Há um estranho cheiro de queimado vindo do fogão.

Uma menina de branco, com no máximo catorze anos, vem da porta que deve dar na sala. Passa em silêncio por elas, abre a geladeira, monta uma bandeja, passa de volta com copos e uma jarra de suco. Suas mãos tremem. Regina nota que a garota tem o olho esquerdo roxo e fechado.

Regina a segue na direção da sala. A menina se assusta quando a mulher a ajuda com a porta e sai apressada sem agradecer.

A sala de jantar está fresca, apesar do calor seco lá fora. Com os janelões abertos, o vento sacode as cortinas. A mesa está posta com talheres de prata amarelados pelo uso e pratos pintados de porcelana. Com olho clínico, ela vê que alguns foram colados, há uma taça lascada. A colocação dos talheres é caótica. No aparador, a salada já foi posta: uma montanha de ervilha e milho, com algumas folhas murchas de alface.

A menina sumiu na sala seguinte. Regina ouve o som de copos. Ouve, também, passos pesados vindos de dentro. Estalam no chão de tábuas, param.

Alguém funga.

— Deixe aí, menina.

Depois:

— Cadê a moça?

Silêncio. Ouve de novo os passos, a madeira range. Ele surge na entrada. É corpulento, não muito alto. A camisa xadrez está esticada na barriga e presa ao cinto com uma fivela prateada. Ela vê a indefectível bainha do canivete suíço. Os cabelos pretos dele, escassos no alto, estão molhados e comprimidos. Tem pele de bebê, bem barbeada. Não deve ter cinquenta anos.

O homem a observa. Regina força um sorriso, ele baixa os olhos e vê a calça, a camisa, a botina. Balança a cabeça, como se concordasse com algo. Quando os ergue, não é para ela, mas para um armário rústico no canto da sala. Caminha até lá, as botas estalando de novo.

Abre a parte de cima, escolhe um copo baixo, pega a garrafa de Black & White e serve uma dose. Abre o balde de gelo e enfia os dedos curtos nele, tira umas pedrinhas ensopadas e as despeja na bebida. Diz sem se virar para ela:

— Boa tarde, dona… dona Regina. É isso?

Fecha o armário, toma um gole. Ela responde:

— É sim, sim, obrigada!

Os passos reverberam na sala. Ele volta a sair, faz um breve aceno para que ela o siga. Regina vai para a sala, há um sofá e duas poltronas, um televisor desligado, móveis com fotos de família, fotos de cavalos na parede. Uma porta dupla dá para a varanda de cimento queimado, mais além está o jardim.

Na mesa de centro, a menina está agachada ao lado da bandeja. Limpa algo no chão, nervosa.

— Anelive, sirva um suco pra visita, faz favor.

O fazendeiro senta numa poltrona, indica que Regina ocupe o sofá. Toma um gole de uísque, os cubos tilintam no copo.

— Não tá fácil arrumar gelo. Não senhora.

Dá mais um gole. Regina está ereta na ponta do sofá. A criança de olho roxo lhe estende um copo de suco de uva, com a mão tremendo.

— Soube que a senhora apareceu na cachoeira?

Ele ainda olha o copo, um leve sorriso brota em seus lábios. Regina toma um gole do suco e diz que sim, um pouco atrapalhada. Não sabe onde colocar o copo. O fazendeiro nota a hesitação.

— Arrume um guardanapo pra moça, minha filha.

A menina está quase chorando. Não trouxe guardanapos. Pede licença e volta correndo para a cozinha. Quase derrapa na madeira encerada. O fazendeiro suspira.

— Essas menina precisa aprender a fazer as coisas.

Toma o uísque, olha o copo e funga. Cruza as pernas e balança o pé.

— É um baita caminho da estrada até a cachoeira.

Regina aperta o copo e concorda. Quer contar o que aconteceu, não sabe por onde começar. Enxuga a lágrima que brota no olho.

Ouve gritos vindos do corredor, a empregada mais velha com roupa de crente surge apressada. Diz para o patrão que as crianças já saíram do banho. Está molhada, uma mecha de cabelo grisalho soltou do coque.

— Essa criançada... — ele diz.

Olha a empregada com desgosto, fita Regina de novo. Dentes pequenos, com tártaro, surgem entre o nariz e a papada.

— Desde que elas perderam a mãe... ficaram assim, chucrinha.

Olha de novo para Regina, depois para o copo. A menina volta correndo, com guardanapos amassados na mão. Dá alguns para Regina, que agradece. O fazendeiro olha para a criada mirim contrariado e espera ela sair. A empregada mais velha também pede licença, vai ver se as crianças estão arrumadas.

— A senhora viajava sozinha?

— Não, eu...

Regina observa a porta aberta, a luz no gramado lá fora. Limpa os olhos com um dos guardanapos, assoa discretamente o nariz e o dobra, coloca no bolso da frente.

— Não, eu... estava com um funcionário do meu marido e duas meninas... tinha essas pessoas mascaradas na estrada...

Ficam em silêncio. Regina ouve o tilintar do gelo. Depois, os gritos das crianças pelo corredor. No vaivém da porta da cozinha, os pratos são levados ao aparador. As crianças correm para a sala, hesitam ao vê-la. Regina força um sorriso, a mais nova sorri de volta para ela.

— Papai, a gente encontrou ela na cachoeira!

Ele diz que está sabendo e dá tapinhas no próprio joelho. A menina corre até ele e senta no seu colo. Ela o beija na bochecha, o fazendeiro sorri e olha para Regina de soslaio.

— Essa é a minha princesa.

A mesa está servida. O dr. Eduardo se levanta, puxa o cinto para cima e vai até a sala de jantar. Tem arroz num pote de plástico, feijão numa sopeira. Carne assada com aspecto chamuscado e a salada. O fazendeiro coloca o copo vazio de uísque na mesa e diz:

— Vamos comer.

As três crianças correm na frente, lutam pelas colheres, derrubam arroz. A empregada grisalha serve a menininha. Regina está na fila, não quer fazer feio, mas o estômago dói de fome. Ela capricha na salada.

Na mesa, o fazendeiro abre a tampa do molho de pimenta e pergunta de onde ela vem. Regina conta, veio da fazenda Santa Bárbara, perto de Nova Xavantina. O sogro, seu Hamilton Arruda, tem outras propriedades, na verdade são todos de Ribeirão Preto. O dr. Eduardo diz que conheceu um Zé Arruda para os lados de Paranatinga.

— Pode ser o irmão do meio do meu marido.

— Achei que esse povo do Mato Grosso tinha atravessado pra Bolívia antes de fechar a fronteira.

— É verdade.

— Vocês demoraram.

— Meu sogro queria que a gente ficasse.

Ele mastiga e concorda. As crianças estão de risadinha, comendo de colher, como neandertais. A empregada grisalha ajuda a menina a não derrubar as coisas. Regina diz que tenta voltar para Ribeirão Preto, talvez o pai e o irmão ainda estejam lá. O homem franze a testa.

— Moça, não deve ter sobrado nada em Ribeirão Preto.

A criada mirim traz um vidro com figo em calda de sobremesa. O patrão pergunta se tem requeijão, ela diz que não, com medo, e sai da sala. Ele funga.

— Ela não traz prato, não traz colher…

Bate as mãos na mesa, contrariado.

A empregada grisalha se ergue nervosa e some na cozinha. Ele também se levanta, pega um lenço amarfanhado do bolso de trás e assoa o nariz. Sai na direção da sala e indica que Regina o siga.

— Depois a gente come esse trem.

Passam pelos sofás. Ele pega o chapéu branco no cabide. Cruzam a varanda, ele abre um portãozinho de madeira e descem três degraus. Há uma entrada para carros, de cascalho e um gramado com canteiros floridos. O homem enfia o chapéu e pergunta das meninas que viajaram com Regina. Ela descreve Valéria, diz que não sabe o nome da outra. É uma coisinha pequena, ela diz, de cabelos para cima.

— A gente pode ver se as meninas tão por aí.

Caminham pela entrada, passam por uma carroça velha que serve como decoração. A porteira está aberta, e eles descem pelo caminho de terra roxa. O homem quer saber detalhes das fazendas dos Arruda. Quantas cabeças de gado, quanta soja. Pergunta se a família dela também é de fazendeiros. Não, o pai é comerciante e o irmão, veterinário.

— Ribeirão Preto… terra boa…

O homem diz isso saudoso. Olha o pasto enquanto eles descem pela estrada. Regina nota que os arames das cercas estão todos bem retesados, com pequenas roldanas de porcelana próximas aos troncos. Ouve um zumbido. Como se entendesse sua dúvida, ele fala:

— Não encoste, não. Vai tomar um choque dos infernos.

Ele indica uma construção baixa à esquerda. Ela ouve o barulho de motores rangendo e vibrando. Dois peões mal-encarados conversam sentados na soleira, à sombra de um flamboyant. Cabos de alta tensão saem por baixo do telhado.

— Aqui fica o gerador, pra manter tudo isso funcionando.

Move o braço num arco amplo, que abarca a propriedade.

Viram à esquerda numa estrada transversal. À direita há um trecho de pasto em declive, e mais abaixo ela vê as casas de madeira dos colonos. Depois, o vale com árvores, por onde o riacho passa. Um peão caminha rente à cerca. O dr. Eduardo o cumprimenta, ele sorri de volta. O fazendeiro funga. Regina não entende por que ele mostra tudo aquilo.

— O senhor…

— Pode me chamar de você, moça. Aqui não tem cerimônia, não.

— Você… sabe, eu estou tentando ir pra Ribeirão.

— A senhora já falou.

Passam à esquerda por um capim alto com tratores depenados e máquinas de arar enferrujadas. Um galpão de madeira cinza se abre para eles. Há um pátio semicoberto com um veículo enorme, uma picape de cor indistinta e trilhos de ferro na frente e atrás, coisas pontudas que parecem espinhos, faróis como holofotes no teto, grades nas janelas, placas de ferro soldadas às laterais, manchas cinzentas. É um tanque de guerra de pesadelo. Ela para de caminhar e leva a mão ao pescoço, aperta a gola ainda úmida da camisa.

Três homens, debruçados sobre o capô, param o que estão fazendo, e um deles esfrega a mão numa estopa suja. Todos cumprimentam o fazendeiro.

— Arrumou o vazamento, Valdir?

— Arrumei, seu Eduardo.

— Trouxe menininhas pra gente?

O homem faz que sim.

— Depois a gente vai ver.

Ele caminha e se detém, olha para trás com um sorriso curioso.

— Já cansou, moça?

Ela acelera o passo. Sente os olhares dos três mecânicos nela, baixa a cabeça e desce atrás do fazendeiro numa trilha em meio ao capim, em direção a uma construção claustrofóbica que imagina que seja o estábulo. Regina sente o cheiro familiar de palha e estrume, mas há algo diferente, adocicado, que ela não consegue identificar. A entrada é baixa e escura, lá dentro se veem ripas soltas e telhado de zinco. O chão é de cimento irregular.

Cavalos se mexem no escuro, seus olhos assustados. Mais adiante, o estábulo se abre para o cercado do gado. A lama é dura, com marcas profundas dos cascos. Está vazio e parcialmente demolido. Há dois peões soltando as placas do apartador.

O dr. Eduardo aponta.

— Vai ter que derrubar tudo isso aqui, pros bois.

Regina concorda e tenta sorrir.

Caminham entre as placas soltas e o cercado, param na frente de uma porteira, que um dos peões corre para abrir. O pasto se estende à frente deles. Só então ela se dá conta dos pássaros. Circulando no alto, numerosos. Regina estanca e começa a ofegar.

Sente cheiro de churrasco e lixo.

O que ela vê a seguir a faz chorar. Regina se vira para fugir, mas o segundo peão está armado com um fuzil e bloqueia a passagem. O dr. Eduardo diz:

— Não tem problema, moça. Pode vir.

O fazendeiro parece se divertir muito com ela. O peão da frente ri, desdentado.

O dr. Eduardo tira o chapéu e caminha desconjuntado na direção dos mortos-vivos.

— Ôa, ôa.

Eles oscilam, alguns se arrastam para longe, conforme o fazendeiro abana o chapéu para eles.

Regina sente a garganta fechar, lágrimas embaçam sua visão.

Um peão armado diz atrás dela:

— Eles não faz nada.

O dr. Eduardo estende o braço de novo.

— Tudo aqui era pasto pros bois. Agora a gente coloca os sequinho aqui e eles fica quieto. Quinhentas cabeças.

Os pássaros grasnam. Dois anus-pretos pousam na cabeça de um corpo seco, descamada como cebola no picadinho, e começam a ciscar o olho direito. Outro desce no ombro e bica as hastes amarronzadas que brotam debaixo da orelha. O fazendeiro caminha de volta à porteira.

— Dá essa merda aí.

O peão estende o fuzil. O dr. Eduardo enfia o chapéu na cabeça e bufa, verifica a culatra, engatilha, caminha de volta, faz pontaria e atira.

A cabeça do morto-vivo estoura, os pássaros fogem incólumes. O corpo cai para trás, borrifo roxo se espalha no ar.

— Filhadaputa.

Ele funga, volta à porteira, devolve o fuzil.

— Essa praga é uma merda.

Sai caminhando de volta pelo curral e faz de novo um gesto para que a mulher o siga.

— Nós protege bem com cerca elétrica e eles ficam assim, quietinhos. Acho que é esse zunido, então nós não desliga nunca. Eles gostam do zunido na orelha deles.

Regina acelera o passo, tropeça na lama seca e se equilibra. Eles saem pelo corredor escuro, voltando à trilha que passa perto do galpão. Viram à direita na estrada de terra. Regina vê o pasto com os corpos secos, todos parados, olhando para eles. Ela geme e esfrega os olhos. O fazendeiro continua a falar:

— Ali é onde a gente torra e mói os sequinhos.

Ele aponta para uma casamata de cimento e tijolos. Na entrada, há um funil quadrado e enorme de madeira, mais alto que o teto, todo sarapintado de vermelho, roxo e negro, camadas grossas como tinta seca. No fundo da casamata há uma chaminé de alumínio recoberta de fuligem, de onde Regina vê fumaça preta saindo.

— Depois tem de pôr pra secar ali, naquele pátio. Que nem café. Tem de torrar e torrar.

Regina não sabe para onde olhar. Além da casamata, há duas mulheres espalhando algo no chão de cimento com um restelo. Uma delas para e se apoia no cabo, o pé esquerdo coçando a panturrilha direita. A mulher cumprimenta o fazendeiro com um sorriso tímido.

— Depois precisa moer de novo, pra tirar as parte maior.

Uma moenda, o teto de zinco.

— Vocês… vocês moem o quê, exatamente?

O cheiro de churrasco é mais forte ali, e ela sente náuseas. À esquerda, a cerca elétrica está de volta, e o dr. Eduardo se detém numa porteira com corrente e cadeado.

Não há apenas cerca. Há também um rolo de arame farpado por toda a extensão do perímetro. No centro, uma casa comprida, cor-de-rosa, com aspecto de motel de beira de estrada. Ele bate palmas.

— Aô! Aôa!

A casa é térrea, com venezianas de alumínio pintadas de violeta, todas fechadas. Na extremidade direita, há uma pequena varanda com arcos brancos, que leva a uma porta de ferro e vidro canelado. Uma colona gorda vem dali, andando desconjuntada e sorrindo. Tira uma chave do bolso.

Regina sente o chão vibrar de leve e, sem querer, agarra o braço do fazendeiro. Ele se surpreende e a encara. Depois da vibração, vem um rugido grosso, que parece um trovão desacelerado. Ela se solta dele, e se assusta com outra vibração e o som do trovão. O céu está claro, com exceção dos pássaros.

— O que foi isso?

Regina não tinha ouvido antes por conta do ruído dos geradores. O chão vibra de novo.

— Ah, vem ver só.

O fazendeiro manda a colona esperar e caminha com Regina ao longo da cerca. O pasto termina nas árvores no vale, na curva suave do rio. Além dele, a montanha se eleva em outro campo sem cultivo, de capim escurecido, com árvores esparsas e arbustos. Animais pastam, mas ela não diria que são bois. Parecem elefantes num desenho infantil, sem perspectiva, coloridos com canetinha marrom. Regina estreita os olhos. Um tronco se despedaça e cai.

— O que eles estão comendo?

— Carne de sequinho.

Ele acha graça naquilo.

— Carne de quê?

— De sequinho. A gente distribui a ração no pasto. Por isso é que o chão tá preto. Mas eles têm muita fome, não param nunca de comer. Olha lá. Aqueles da ponta tão comendo árvore. Não pode.

— O que são… o quê…

— A gente também não sabe. Tem nelore, tem canchim, tem caracu. Mas a gente chama de boizão. Vem ver a escolinha.

Voltam pela estrada, e a colona os espera na porteira aberta. O dr. Eduardo parece feliz, não para de dizer a si mesmo:

— A gente faz como dá. Não tinha ração... não tinha luz... não tinha mais nada. Os bois tava passando fome, morrendo. Mas Deus faz coisas pra gente aprender. E aí os sequinhos apareceram, do nada. Eles parava de correr e de atacar com o som da cerca, e eu pensei: alguma coisa a gente ganha por aqui. Agora a gente precisa de mais cerca, mais gerador, mais forno... mais caminhão... esses boizão dá umas trinta arroba só de carne.

Ele ergue o rosto e a colona gorda o cumprimenta. Entram no quadrilátero farpado, caminham por uma trilha diagonal que vai até a casa rosada.

Duas mulheres descalças estão sentadas no chão, cada uma apoiada numa coluna. Elas riem para o patrão. Uma masca um pedaço de capim.

— Boa tarde.

— Tarde.

— Vim mostrar a escolinha pra visita... ela veio lá dos lados de Nova Xavantina. Dá licença...

As mulheres afastam as pernas para dar passagem e olham Regina com um sorriso malicioso. A gorda vem logo atrás.

Ouvem-se gritos, choros, risadas. O dr. Eduardo raspa as botinas na grade e tira o chapéu antes de entrar. Regina o segue. Sente um cheiro azedo, de perfume muito doce e desinfetante.

A sala parece uma creche abandonada. Há sofás desconjuntados, cadeiras de plástico. Uma mesa grande, outra pequena. Bonecas arrebentadas, carrinhos, tapetes, fraldas, vômito, pedaços de biscoito. As meninas param o que estão fazendo e os olham. Uma garotinha no chão não para de chorar. A maior, em pé ao lado dela, lhe dá um safanão e volta a ficar rígida. A pequena chora mais.

— Aqui precisa pintar melhor, colocar uns quadrinhos. Apartar as meninas mais novas das mais velhas.

O dr. Eduardo pergunta à colona gorda se não chegaram mais menininhas na noite anterior. A colona aponta para uma garota com o nariz escorrendo, largada no sofá.

— Tem aquela lá, doutor, e outra no quarto.

— É essa aí?

Regina faz que não.

— Me traz a outra, faz favor.

A colona tem um sorriso bovino.

— Ela tá meio arisca, doutor.

— A gente dá um jeito.

A mulher passa pelas meninas e some no corredor à esquerda.

Regina ainda está desnorteada. Algumas meninas ali não devem passar dos seis anos. O fazendeiro continua a murmurar.

— A gente tem de cuidar mais delas, arrumar as roupinha, dar mais banho e passar talco e perfume. As moça não têm jeito com nada, não sabem servir e nem cozinhar.

Ouvem gritos do corredor. O dr. Eduardo põe as mãos na cintura e morde os lábios, fitando o chão. Parece encabulado, mas não com isso.

— Se a senhora… dona Regina… bem… a senhora já não é nova, mas também não é velha, se me permite a liberdade.

Ela não sabe se presta atenção aos gritos ou ao fazendeiro.

— Bom, desde que a minha senhora, ela… virou *aquilo*, sabe? Bom… a gente tá precisando de uma moça pra…

Dr. Eduardo a observa de relance.

— Uma moça pra…

— *Ai!*

A colona gorda aparece com uma ajudante no corredor. Foi ela quem gritou, a mão esquerda está vermelha, com marcas de dente. Ela grita de novo e aperta o pulso, enquanto a outra puxa a menina rebelde pelo pescoço. É sem dúvida Valéria. O fazendeiro fica contrariado com a interrupção.

— É essa aí?

Regina indica que sim. A menina a vê, relaxa um pouco os braços, apesar dos olhos esbugalhados.

— Tia…

O dr. Eduardo dá dois passos entre as crianças e desfere um tapa nela que a manda para longe, contra a parede. Valéria bate a cabeça e cai. A incompreensão parece doer mais que o tapa, o nariz sangra.

— Como eu ia dizendo… a gente precisa de uma moça educada, né? Pra ensinar essas menina, pra decorar melhor os quartos… deixar elas vestidinha pra quando eu vier aqui.

Valéria é erguida chorando e não reage mais.

— A senhora pode morar na sede, eu… os meus filhos acharam a senhora bonita, com o perdão da palavra… a minha empregada precisa de uma patroa e eu não tenho jeito com essas coisas…

Ele a olha de cima a baixo, Regina treme e sua.

— Como?

Ele mostra os dentes com tártaro.

— Eu até posso dar aí um, um…

Avalia o corpo de Regina.

— Um trato, de vez em quando. As pessoa diz que panela velha é que…

Ela dá um passo para longe. A segunda colona está logo atrás, encantada com a conversa. Regina grita e a empurra, a moça se desequilibra numa menina e cai sobre a mesa.

Regina atravessa a varanda, passa pela outra colona e se joga no capim, correndo esbaforida na direção da porteira. Está aberta, a corrente pende com o cadeado na ponta. Quer apenas fugir dali, fugir.

É jogada de lado, e só então ouve o disparo.

Mateus

Eles avançam com cuidado pelas ruas de Paraty. Mateus nunca esteve ali, e olha com curiosidade as casas brancas, com portas grandes, janelões verticais, telhas de barro, tudo no típico estilo colonial português. Alguém havia sugerido que buscassem abrigo no centro histórico da cidade. Quando a maré sobe, a água do mar cobre algumas ruas, o que ajuda a manter os mortos à distância.

Além disso, é uma cidade pequena, o que diminui a possibilidade de depararem com grandes matilhas. Tulipa até mesmo alimenta a ideia de encontrar alguma embarcação no cais, que possa ser utilizada para chegarem ao Rio de Janeiro.

— Cuidado, eles estão vindo.

É a dra. Sandra quem dá o alerta. Quando passavam pela rodoviária, Mateus notara algumas gaivotas dando rasantes entre as casas. Agora, aos poucos vão surgindo os primeiros mortos, que são arrancados do torpor de seu vagar indiferente e sem rumo pela presença dos vivos.

Com Tulipa à frente, o grupo avança para leste. A rua é estreita, coberta por fios com fitas coloridas entrecruzados. Das portas abertas das casas, os corpos secos se arrastam para fora. Um deles dá o bote em um policial federal, que o acerta com um tiro na cabeça.

A dra. Sandra está fascinada.

— Eles também buscam abrigo do sol aqui. Deve ser algum tipo de instinto feral. Se ao menos pudéssemos pegar amostras de tecidos...

Já Tulipa se mostra mais pragmática:

— Sandra, acho que não vai dar para chegar no cais. Para que lado vamos?

A médica olha ao redor. Já esteve ali antes, de férias num passado distante, e conhece razoavelmente a cidade. Estão no cruzamento entre duas ruas estreitas, e se seguirem rumo ao norte poderão alcançar o espaço mais aberto da Praça da Matriz e buscar abrigo na igreja. Contudo, mais e mais mortos surgem pelas ruas estreitas, fechando o caminho atrás deles. Sandra tropeça numa pedra do calçamento e olha para trás, preocupada.

— Não faz sentido. Isso aqui era uma cidade pequena, o centro histórico era só comércio e pousadas. Não deveria ter tanta gente aqui.

— Agora não faz diferença, Sandra. Só toma cuidado onde pisa.

— Mas não faz sentido.

Mateus, protegido no centro do grupo, olha para trás, para uma matilha de corpos secos que segue no encalço deles. Um se adianta aos demais, num evidente pico de energia, pronto para dar o bote.

— Cuidado!

O corpo seco se destaca do grupo e vem correndo na direção deles, mas tropeça no calçamento e cai no chão. Tulipa grita para tomarem cuidado: uma matilha de cinco vem pelo norte, saída de um largo. Três tropeçam no chão e caem. Ela olha para dentro das janelas das casas ao redor e vê que mais e mais mortos se movem, despertados pela agitação nas ruas. Logo o sol começará a se por. A coisa vai ficar feia.

Ouve-se um estampido. Mateus aponta algo acima das casas.

— Olhem lá!

Um sinalizador de navios foi disparado duas quadras à frente, no final da rua. Eles seguem naquela direção. Um corpo seco salta de uma janela — impossível dizer se homem ou mulher, com a pele toda de um vermelho escuro, cor de charque — e cai sobre um dos médicos. Mateus recua apavorado, colocando-se por instinto à frente da dra. Sandra. Um policial federal dispara contra o crânio daquela coisa, mas outros dois corpos secos saem da casa e avançam contra o médico e o policial. Os quatro se entranham num embate físico. Outro médico tenta sair correndo, tropeça no calçamento e cai. Os corpos secos se amontoam sobre ele.

Sandra agarra Mateus pelo braço e o puxa para longe naquele labirinto. Ao cruzar a rua seguinte, dá uma olhada rápida e sente um calafrio: uma horda vem se arrastando na direção deles.

— Aqui, aqui — uma figura grita acenando do telhado de uma casa na esquina seguinte. Usa um capacete de bicicross preto com visor espelhado, camisa florida, joelheiras e cotoveleiras de ciclismo.

Tem um taco numa mão e o sinalizador na outra. Tulipa conduz o grupo naquela direção. O barulho dos tiros está atraindo mais mortos.

A figura logo desaparece em alguma abertura do telhado. As portas de uma casa na esquina se abrem e ela reaparece ali, golpeando com violência a cabeça de um corpo seco que se coloca no caminho.

— Aqui, entrem!

Sandra puxa Mateus até aquela casa de esquina, enquanto Tulipa dá cobertura e chama o resto dos sobreviventes.

Mateus entra e olha ao redor impressionado. É uma casa pequena, com prateleiras que vão do chão ao teto repletas de garrafas de cachaça. Há barricadas nas janelas. Tulipa fica à porta, disparando nos mortos e dando cobertura para os vivos retardatários. A dra. Sandra parece em estado de choque: repete sem parar que não faz sentido a cidade estar tão cheia. Sente-se culpada pela decisão de terem avançado pelo centro histórico.

O sujeito que Mateus apelidou mentalmente de Tacobol avisa que precisa fechar a porta, não pode esperar mais. Tulipa olha rápido para fora, acerta a cabeça de um corpo seco que avança contra ela e entra na cachaçaria.

— Certo, vai em frente.

Ela ajuda Tacobol a fechar a porta, baixar trancas e fazer uma barricada com um freezer vazio. Em seguida, o sujeito aponta uma escada estreita de madeira atrás do balcão da loja, que conduz para o telhado. Ele sobe e pede que os demais o sigam. Tulipa vai primeiro, e em seguida dá o sinal para que os demais a acompanhem. Mateus vai logo atrás.

Quando olha ao redor, ele vê que estão na quadra logo atrás da Igreja Matriz. Dali tem uma boa visão do entorno: nas árvores ao redor da igreja jazem livros pendurados por fios de náilon, como se enforcados. Bandeirolas coloridas decoram todo o centro e, mais adiante, há placas de sinalização tombadas, estandartes balançando ao vento e o toldo de um pavilhão de feira.

Tacobol os chama.

— Não se preocupem com os mortos. Assim que não conseguirem nos enxergar mais vão se distrair com alguma coisa e voltar para dentro das casas.

Com cuidado, caminham todos pelos telhados das casas até um pátio no interior da quadra, que pertencia a uma pousada. Tacobol explica que todas as portas daquela pousada estão protegidas, e o único jeito de entrar ou sair é pelo telhado. Eles descem.

O lugar é um oásis no meio do caos. O interior tem os ares aristocráticos de um casarão do século XIX, com paredes de pedra, sofás elegantes e pinturas a óleo nas paredes. É uma sensação estranha sair do inferno direto para o paraíso, sem escalas. Assim que os sobreviventes se espalham pelas poltronas, exaustos e ofegantes, Tulipa se vira para Tacobol e pergunta se ele está ali desde o início da epidemia.

Ele faz que sim com a cabeça.

Ele tira o capacete. É um homem jovem, de trinta e tantos anos, com cabelo castanho-escuro curto e um excelente bigode *chevron*. Seu olhar oscila entre o resignado e o perturbado. Mateus o acha estranhamente familiar.

— Ei! Conheço você. Já li um livro seu, você é aquele escritor, Xer... xévsky...

— Xerxenesky. Antônio Xerxenesky.

— Isso! Como veio parar aqui? O que aconteceu?

Ele suspira. Diz que estava participando de um festival literário na cidade e foi pego de surpresa pela situação. Talvez não devesse ter aceitado o convite, com o país no meio de uma crise sanitária, mas o Sesc tinha oferecido hospedagem e cachê, e ele pensou que seria bom se afastar um pouco de São Paulo. Antônio explica que voltou para o quarto já tarde da noite, tomou um remédio para dormir e só acordou no dia seguinte com o sol já alto.

Então notou que havia algo estranho no ar, mas não sabia dizer bem o quê. Lavou o rosto, vestiu-se, e percebeu que o hotel estava deserto. Ao sair para a rua, viu um corpo seco já em estado feral, mastigando o pescoço de uma vítima. O resto foi o caos. Ele voltou para a pousada e trancou as portas. Havia um ou dois corpos secos ali dentro ainda, mas Antônio se livrou rápido deles. Ocorreu-lhe fugir, mas para onde iria? Se os mortos já haviam chegado ao litoral, não adiantava voltar para São Paulo. O rádio anunciou que o Centro-Oeste estava perdido, que fugas em massa ocorriam para o Sul e o Nordeste, mas então também o rádio silenciou.

— Então pensei: vou fugir para alguma ilha. Maaas… quase todas elas são particulares, sabem? Gente rica, seguranças armados, coisa pesada. Parece que uma aceita novos fugitivos, mas tem um pessoal que fica no Saco do Mamanguá negociando passagem. Você precisa ter algo de valor para negociar com eles. Quando fiquei sabendo, tudo o que havia de valor nessa cidade já tinha sido levado. O que eu podia oferecer? Livros? Enfim. Nós nos trancamos nessa pousada, fizemos barricadas e limpamos o interior de qualquer corpo seco que tivesse sobrado.

— Nós quem? Tem outros sobreviventes aqui com você?

— Hum… agora não mais.

— O que aconteceu com eles?

Antônio não responde.

— Bom, no começo foi tranquilo, mas ainda assim era preciso sair da segurança da pousada e vasculhar a cidade atrás de comida e combustível pro gerador. É aí que mora o perigo. O segredo é acertar sempre na cabeça dos corpos secos. Tem uns que são mais rápidos, acho que devem ser os que se exercitavam quando vivos. Mas, em geral, eles não são muito espertos, sabe? Quando mortos, digo. E, assim que você sai do campo de visão deles, qualquer outra coisa distrai os bichos, que logo vão em outra direção. Por isso uso os sinalizadores. Eu estou falando demais, ou vocês que falam pouco? Desculpa, vocês são as primeiras pessoas vivas que vejo em… dois meses? Ou faz mais tempo? Perdi a conta… que dia é hoje? Bom, não faz diferença. E vocês, como vieram parar aqui?

Antônio nota o soldado carregando o galão de óleo diesel e pergunta o que eles pretendem fazer com aquilo. Tulipa fala do sinal de rádio, diz que estão a caminho do Rio de Janeiro, para de lá embarcar nas balsas até Florianópolis. Então pergunta:

— Você disse que ia fugir para as ilhas. Sabe pilotar um barco?

— Sim, sim. Já pilotei antes, sabe? De blazer branco, ainda por cima, tipo *Miami Vice*. Bons tempos. Mas não adianta ir para as ilhas se não tiver algo para usar como moeda de troca na passagem.

— Tem algum barco no cais que possa ser utilizado?

— Ih, só aquele barco-biblioteca ali perto do centro, o resto já foi embora. Está sem combustível, mas se vocês conseguirem chegar até ele podem pegar. Essa história de Florianópolis está mal contada. Eu escutei no rádio também, mas... sei não. Se fosse vocês, iria para alguma das ilhas. Esse galão de diesel pode ser negociado como passagem. Não faz sentido ir pro Rio agora. Mas fiquem à vontade pra ficarem aqui. O sofá-cama do meu apartamento hospedou mais gente que toda a Paraty, não vai ser agora que estou vivendo num hotel que vou negar pouso a alguém.

Tulipa aceita a oferta. Com o dia chegando ao fim, precisam de um local seguro onde se reorganizar. Não estão em mais que dezoito pessoas, e precisam decidir como seguir. Antes, porém, precisam de repouso.

O interior da pousada é mantido com o asseio meticuloso que somente a dedicação de uma mente solitária poderia manter. Mateus flana por seus corredores, desce para o saguão, atravessa o restaurante e encontra uma sala de leitura com enormes pilhas de livros, organizados sem critério aparente. Puxa um exemplar de *O enigma de Andrômeda*, de Crichton, e folheia. Depois caminha até o jardim de inverno, uma área fechada com árvores da mata atlântica, bromélias e orquídeas. Uma voz pergunta, vinda do nada:

— É Mateus, não é?

Ele pula de susto. Não havia percebido Antônio ali, sentado quieto num banco debaixo de uma pérgola, lendo um tomo imenso sobre a Primeira Guerra Mundial.

— Quem é você, se não for problema perguntar?

— Como assim?

Antônio põe o livro de lado e o observa atento, com o taco ao alcance da mão.

— Se entendi bem, metade de vocês são médicos e a outra metade são policiais federais. Mas você não parece ser nenhum dos dois.

Mateus suspira. Conta que tem o vírus, mas não os sintomas, e que por isso precisam ir para o Rio, para a pesquisa continuar. Antônio o escuta e fica pensativo. Olha em volta para ver se tem mais alguém ali, então diz:

— Tem uma coisa que preciso te mostrar. Vem comigo.

Mateus o segue por um corredor a céu aberto entre os quartos, até um bangalô de ares rústicos ao lado de uma piscina, nos fundos do hotel. Eles dão a volta pelo bangalô e sobem por uma escada de metal apoiada na parede dos quartos que chega até o telhado.

O complexo da pousada abrange uma lateral inteira da quadra, de uma ponta a outra. Eles estão nos fundos, de frente para uma praça. Antônio aponta para um pátio, do outro lado do muro. Há um carro ali.

— O tanque está cheio. Deve dar para chegar no Rio, mas só cabem umas quatro, talvez cinco pessoas. O problema vai ser na hora de abrir o portão. Tem que ser rápido, porque sempre tem corpos secos rondando.

— Por que você mesmo não usou para ir embora?

— Ir embora pra onde? Já disse, não tem nada para mim lá fora. Na única vez que saí nesse carro, quase fui mordido. Não, obrigado, prefiro ficar aqui dentro, onde posso ler sem ser interrompido. E dançar sem ser incomodado.

Mateus olha o carro apreensivo. É uma solução que traz um problema, e se dependesse dele as duas únicas pessoas que levaria consigo seriam as duas mais dispostas a abrir mão do próprio bem-estar. E talvez as únicas a quem poderia contar sobre o carro, pelo mesmo motivo.

Mateus pede a Antônio que não mostre o carro para mais ninguém, então olha ao redor, para os telhados da cidade banhados pelo sol poente. Lembra que ainda está com a mochila nas costas, então a tira dos ombros, abre, e pega um dos pacotes de Bis. Oferece a Antônio.

— Ih, odeio chocolate branco.

Antônio olha para o carro e depois para Mateus.

— Por que você anda com uma mochila cheia de Bis?

— É uma promessa que fiz. Longa história.

— A essa altura, devem ser os últimos Bis do Brasil.

— Provavelmente.

Mateus come metade de um pacote e guarda o resto. Começa a escurecer mais rápido, e eles descem do telhado. Mateus pergunta se Antônio tem certeza de que é a última pessoa viva na cidade, se todos os demais já estão mesmo mortos.

— Acho que sim. Vi o Houellebecq numa janela, mas era difícil dizer, ele já tinha cara de morto antes disso tudo.

Eles se despedem. Mateus sobe até os quartos, à procura da dra. Sandra. Pergunta a um médico se sabe onde ela está. Ele indica o quarto certo. Mateus está tão distraído que entra sem bater.

Quando abre, depara com Tulipa sentada na cama, sem calça, com a perna estendida no colchão. A dra. Sandra, ao seu lado, apalpa sua coxa direita e a panturrilha de um modo inquisitivo. As duas viram para ele ao mesmo tempo.

— Ah, putz, desculpa, eu não sabia que...

— Fecha a porta, Mateus.

Ele nota o inchaço e a mancha vermelha percorrendo a coxa de Tulipa.

— Ah, não... Não a Tulipa, não você...

Sandra os tranquiliza.

— Se acalmem, vocês dois. Pode ser muita coisa. Ela caiu de quase seis metros de altura. Passou quase cinco horas sentada no ônibus. Ainda é cedo para dizer a origem da trombose. Fecha a porta, Mateus.

Ele faz aquilo. Tulipa balança a cabeça em negativa.

— Eu estive num supermercado cheio de esporos, Sandra. Se tiver sido contaminada, é uma questão de horas...

— Então ainda temos algumas horas! — interrompe Sandra. — Fiquem calmos, certo? Tulipa, vou te aplicar uma injeção intravenosa de heparina, isso vai ajudar a conter os coágulos. Mateus, alcança minha mochila.

Ele obedece. Sandra abre o zíper e tira um estojo com agulha, ampola e uma borracha para garrote. Ela aplica uma injeção no braço de Tulipa e guarda o conjunto, então abre uma caixinha branca de remédio e tira uma cápsula de lá. Depois pega um copo limpo de cima do frigobar e vira nele o resto da água da garrafa. Entrega o copo e a cápsula para Tulipa.

— O que é isso?

— Etexilato de dabigatrana. É um antiagregante plaquetário que...

— Vixe, tudo bem, não faz diferença, me dá aqui.

Tulipa toma o remédio. Sandra e Mateus a ajudam a se deitar com as pernas para cima, fazendo uma pilha de travesseiros e almofadas. Em seguida, saem do quarto. Sandra sugere que Mateus vá descansar também. Não há como prever o que a manhã seguinte guarda para eles.

Mateus acorda com o guincho de uma gaivota. É um gritinho agudo e curto, feito o de um boneco de borracha apertado com força. Ele respira fundo e se estica na cama do quarto que tomou para si, no segundo piso da pousada. Supõe que a gaivota esteja bem ao lado da janela fechada, provavelmente apoiada na balaustrada de ferro.

Outro gritinho, mais distante. E outro. Conforme sua consciência vai despertando, sente que há algo de errado. Uma agitação no ar, uma sequência de guinchos, grasnados e pipilos agudos, como se uma horda de bonecos de borracha estivesse sendo constantemente torturada. Ele se levanta da cama e abre as persianas de madeira. A luz da manhã o cega. Conforme seus olhos vão se ajustando e ele percebe aquela quantidade absurda de gaivotas sobrevoando Paraty, Mateus vai sendo tomado por um senso de urgência.

Ele olha para baixo. A rua está tomada de corpos secos, todos parados como se à espera de algo, indiferentes ao banquete que servem aos pássaros. Em seguida, Mateus escuta à distância um guincho elétrico de microfonia, e uma voz monótona ecoa:

Eis que estou à porta e bato, e se alguém ouvir a minha voz e abrir a porta entrarei e cearei com ele, e ele comigo...

Mateus é tomado por um calafrio. Em seguida, por uma dúvida: é a mesma voz? Parece diferente. Sandra entra em seu quarto, apressada.

— Mateus, você... ah, já acordou. Melhor.

— Que merda é essa? É impressão minha, ou é outra voz?

— É? Não percebi. Não faz diferença, está mais ao sul da cidade, e não parece saber onde estamos. O Antônio disse que as ruas estão completamente tomadas, que nunca viu uma coisa dessas.

— Como assim?

— Ele acha que há mais corpos secos na cidade do que havia antes. Como se estivessem sendo arrebanhados pelo caminho.

— E como está a Tulipa?

— Com febre.

Os dois se entreolham em silêncio.

— Pode ser só efeito colateral da heparina. É comum.

— Se você diz... você é a médica aqui.

Mesmo com a febre, Tulipa se põe de pé, de pistola no coldre, e desce meio cambaleante para falar com os demais sobreviventes. Entre médicos, policiais e soldados, parece ser um consenso que não podem manter aquela posição por mais tempo. Se o Pastor dos Mortos é uma pessoa só ou mais de uma, é óbvio que estão sendo seguidos desde São Paulo. O carro estava em algum lugar por ali, nas ruas da cidade. Cedo ou tarde, eles serão descobertos, e as possibilidades de defesa da pousada são bem menores do que as do hospital eram. Cresce entre eles a ideia de que o barco-biblioteca à beira do rio é a saída mais segura, se conseguirem chegar até ele. Não serão seguidos por mar.

Sentado a um canto, Antônio escuta tudo com ar de preocupação. Ele e Mateus trocam um olhar significativo: ambos pensam no carro.

Tulipa não gosta da ideia do barco, acha arriscada demais, mas sua fragilidade física depõe contra suas intenções, pois há quem julgue que ela simplesmente não quer ser deixada para trás. A mera sugestão a ofende e irrita. Quando a vontade da maioria, de sair da pousada e abrir caminho à força até o barco, se consolida, Mateus puxa Tulipa para um canto e conta sobre o carro. Ela olha para Sandra e assente.

— Como você sabe que tem combustível?

— O Antônio me garantiu. Ele usou para ir e voltar do Saco do Mamanguá.

— Sinceramente, Mateus, o cara me parece meio doido. Onde ele está?

Eles olham em volta. Antônio estava ali até pouco antes, e Mateus conclui que talvez tenha se antecipado ao inevitável. Sua atenção é distraída pelos médicos, que o cercam e começam a dar explicações: os federais e os soldados vão à frente, abrindo espaço à bala. Ele vai por último, cercado pelos médicos. Mateus resiste. Um dos médicos o pega pelo braço.

— Vamos logo com isso, garoto.

Mateus olha para Tulipa e Sandra, que estão mais ao fundo da sala. Vê os policiais federais recarregando as pistolas, os dois soldados conferindo as escopetas, os médicos mais ao fundo arrumando as mochilas. Vê a dra. Sandra puxar Tulipa para um canto e depois as duas subirem para os quartos em silêncio.

Mateus continua sendo puxado pelos braços e protesta:

— Gente, não! É uma péssima ideia.

O médico insiste:

— É agora ou nunca. Vem, você fica no meio.

Um soldado abre uma das portas de esquadria de vidro da entrada frontal, depois abre a porta de madeira, grita algo e dispara. Outros seguem atrás dele, dando mais disparos. Alguém berra "venham, venham", e Mateus se vê empurrado em direção à saída. Puxa o próprio braço com força, se livrando de quem o segurava. Alguém tenta agarrá-lo de novo, mas ele reage com um soco.

— Mateus, o que está fazendo?

Ele sai correndo de volta para o hotel, passa pelo jardim de inverno, sobe as escadas até os quartos. Encontra Tulipa e Sandra já com as mochilas nas costas. Sente um arrepio ao encarar as duas.

— Cadê o Antônio?

— Não vimos ele. Pega sua mochila. O HD com a pesquisa está nela.

Mateus assente, entra no quarto e olha em volta. Não vê a mochila em lugar algum. Sumiu.

A mochila com quase um quilo de Bis de chocolate branco e Oreo.

Os últimos chocolates do país.

E então tudo se encaixa.

— Filho da puta!

— O que foi?

— Ele passou a perna na gente.

— Quem?

— O Antônio. Ele não vai com a gente. Vai é fugir pro Saco do Mamanguá.

Os três escutam uma sequência de tiros e gritos vindos da frente da pousada, vidro quebrando, móveis virando. Os corpos secos já circundaram o grupo dos médicos, e alguns agora entram na pousada.

Mateus as conduz pelo corredor e no caminho pega uma machadinha de incêndio. Dão a volta no bangalô da piscina. Podem escutar o motor do carro. Os três sobem a escada que leva ao telhado dos fundos. E então escutam um grito agudo, vindo do pátio ao lado. Um grito do mais puro pânico.

Quando se aproximam da beira do telhado, olham para o pátio vizinho, onde está o carro. O veículo está no fundo do pátio, já com o motor ligado. Antônio está no portão entreaberto — foi surpreendido e agora se vê agarrado. Dentes que devoram seus intestinos e perfuram sua jugular, lançando um espirro de sangue que tinge tudo ao redor num intenso vermelho, enquanto sua voz se afoga num gorgolejar, enquanto os corpos secos se banqueteiam sugando o sangue de cada naco de carne que conseguem pegar. Tulipa tenta manter o senso prático:

— Pulem pro pátio. Rápido.

Ela desce primeiro do telhado: pendura-se na beira e dali cai para o pátio, despertando a atenção de alguns dos corpos secos nos portões. Então dá cobertura aos outros dois, atirando nos que avançavam. Mateus desce logo em seguida, e quando corre na direção do carro um corpo seco salta à sua frente. Ele o acerta na cabeça com a machadinha e o empurra com o pé para soltar a lâmina. Quando chega no carro, se joga no assento do motorista e fecha a porta. Olha para o interior do veículo: sua mochila está ali. Sente alívio.

Atraídos pela agitação, os corpos secos se deslocam na direção delas. Mateus grita, chamando as duas. Mas, no instante em que Sandra cai no chão e grita de dor, sabe que algo deu errado.

Outro corpo seco vem correndo, no auge da energia, Tulipa o derruba com dois tiros, mas o cadáver logo se levanta de novo e, agora mais devagar, segue avançando contra Sandra, que tem o pé visivelmente quebrado. O corpo seco se coloca entre as duas.

Mateus buzina feito um louco, na esperança de que isso atraia os corpos secos para o carro e para longe das duas. Um deles bate com as mãos no vidro da janela do motorista, sem força o bastante para quebrá-lo, mas deixando marcas de sangue fresco. Mateus se vira e grita fininho ao reconhecer que é Antônio que está ali, com o pescoço rasgado e a boca aberta num ronco grunhido.

Sandra grita para Mateus e Tulipa:

— Vão!

As duas mulheres trocam um olhar rápido e significativo. Ao longo daqueles meses, haviam conduzido sua equipe e manejado o atrito entre elas com uma sintonia excepcional. Ambas sabem o que está em jogo ali. Sandra faz um meneio com a cabeça. Tulipa ergue a pistola e dá um tiro certeiro na cabeça dela. Mateus grita de desespero. Tulipa corre para o carro e se joga pela porta do carona, fechando-a com força.

— Vai, Mateus. Vai.

Ele solta o freio de mão e pisa fundo. O carro acelera derrubando tudo pelo caminho, passando por cima dos mortos e arrebentando o portão entreaberto. Dobra imediatamente à esquerda, descendo a rua em sentido sul, abrindo caminho pela multidão de mortos que vão sendo derrubados no trajeto.

— Para onde eu vou? Para onde eu vou?

— Dobra à direita! Temos que pegar a BR!

Mateus obedece. Há menos mortos ali, e eles cruzam uma rua ladeada de palmeiras, que logo se alarga. Passam por um muro longo e um supermercado, precisam desviar de um carro dos bombeiros tombado no meio do caminho, atravessam um posto de gasolina e passam pela entrada da cidade. Uma placa indicando Angra dos Reis e Rio de Janeiro à direita mostra que estão no caminho certo.

Estão fora de Paraty agora. Mateus confere o nível de combustível. O tanque está cheio mesmo. Olha para Tulipa, sentada ao seu lado no banco do carona. Ela está quieta, com um olhar ansioso.

— Acho que estamos seguros agora.

— Não dá para dizer.

— Você devia descansar. Eu te acordo se acontecer algo.

— Não acho que seja uma boa ideia, eu…

— Tulipa, é sério. O tanque está cheio. Agora é só estrada. Descansa.

Ela assente, ainda que relutante, e baixa o banco do carona. Mateus olha para a estrada à sua frente. Apenas quatro horas os separam do Rio.

Conrado

Tá respirando, tá respirando. Não tenho mais força. Eu sabia que não devia ter vindo só com o pai. A Constância tá certa. Homem só faz homice. E agora? Pensa, Conrado. Calma. Respira.

— Pai? Tá me ouvindo? Tá me ouvindo?

O que eu faço agora? Vou até a praia, lavo bem isso aqui, jogo uma água no pai pra ver se ele acorda. Água cura tudo. Água do mar, melhor ainda. Caguei feio no maiô, caguei feio. Mas o balde de banha. Um balde de banha. Porra. Fiquei mal. Conrado, respira fundo. Vai, bicha, respira que não é hora de desmaiar. Como o pai veio dirigindo esse carro até aqui com essa marcha arranhando? Como eu vou esconder essa coisa no meu ombro? Água e sal. Talvez tenha que me render ao sabão de banha da mãe. Ela sabe das coisas. Ela sabe das coisas. Eu devia ter ouvido. É que tava tudo tão calmo lá na casa da mãe, tudo tão calmo, como é que eu ia saber, como é que a gente ia prever que tinha uma horda deles tão perto? Tantos! Onde estavam?

— Pai? Você disse alguma coisa?

— Conrado, eles te pegaram?

A respiração dele tá pesada.

— Não, não. Eu dei um jeito. Atropelei uns tantos. Os outros quase nem se mexiam.

— E me atropelou junto.

— Desculpa, pai, eu fiquei apavorado. Não queria te atropelar, só passar por cima deles, mas naquela confusão. Desculpa. Achei que dava pra entrar com o carro em movimento. Desculpa.

— Tudo bem, guri. Não tinha o que fazer. Fez certo.

— Você tá bem?

— É.

— Vamos até a praia. Entrar na água pra tirar o cheiro de carniça que ficou na gente. Deve atrair eles.

— Praia?

— Eles nunca ficam na praia. Foi assim que a gente subiu, só demos de cara com eles na cidade.

— Eles devem saber que as praias do sul são horríveis.

Ao chegar, encontramos a faixa de areia imensa e vazia. A vida poderia seguir assim. Sem ninguém. Como é bom sentir essa areia nos pés, entre os dedos. Como é boa essa água gelada. Sempre gelada. E hoje verdinha. Quase nunca tá esse verde.

— Conrado!

Já vou, pai. Deixa eu boiar um pouco, boiar pra sempre, pra longe. Me deixa ir. Olha esse céu. Faz tempo que não olho o céu, que não olho pro alto. Infinito. Eu posso ser livre pra sempre.

— Conrado!

Eu só quero continuar boiando, caralho.

— Conradoooooo!

Volta, bicha. Tu tem que levar o pai pra casa. Como é que ele chegou na beira? Volto por ele. Esse é meu pai. Sentado na areia, parece uma criança. Vou fazer um castelo pra ele. Uma fortaleza. Ninguém vai te machucar, pai. Nem eu. Eu fico de fora. Já te abandonamos, já te julgamos, eu até já te atropelei. Que bicha má! Quase matou o pai. De desgosto?, perguntariam. Não. De desgosto foi a mãe. O pai a bicha atropelou. Que bicha má. Não! A bicha é boa. A bicha é burra e boa. Se infectou e teve a decência de pedir licença para se afogar. Ah, ao menos, a bicha é digna.

— Vamos embora, Conrado, sua mãe e sua irmã devem estar preocupadas.

— O senhor consegue se levantar?

A bicha é medrosa. Dissimulada.

— Acho que sim.

— Então vamos, se apoia em mim. Não! Do outro lado.

O pai desconfia. Não é idiota. Quanta areia. Macia de sentir sob os pés. Que vontade de escrever um poema. Que vontade de pôr tudo na boca. De encher bem a boca de areia. Que ideia deliciosamente bizarra, encher bem a boca de areia. Engolir. Sinto minha boca salivar.

— Tudo bem?

— Tudo.

— Tá bem acomodado?

— Dói um pouco as costelas. E a perna.

— Espera um pouco. Deixa eu ver uma coisa no pneu de trás.

— Conrado, não entra no mar de novo, meu filho, por favor.

— Não, pai. Eu só vou mesmo... vou ver aqui.

Pode largar meu braço, pai, não vou pro mar de novo.

— Vou ali... mijar.

Minto muito mal. Encho a boca de areia, engulo. E mais. Lambo os dedos. Olho o espelho retrovisor, o reflexo do pai tem os olhos fechados. É dor, eu acho. Encho a boca. É uma delícia. A hematologista que eu consultava pra controlar minha anemia, ferro e B12, me disse uma vez que isso se chama transtorno ou síndrome de pica, não lembro. Rimos. Eu comia gelo. Ela me alertou: pagofagia. Deficiência vitamínica, Conrado! Pode ser vegano, mas tem que comer direito. Nunca esqueci. Sempre comi direito. Eu amo comer. A Constância acha que não. Mas eu amo comer. Ela pensa que eu não sinto vontade de comer carne. Eu sinto, sim. Bem, eu sentia. Mas sinto nojo também. E dó. Só não sei que nome se dá ao desejo de comer areia. E ao ato de comê-la. Espero que o pai não note. Tenho certeza de que não viu. Está de olhos fechados ainda. É dor. Pobrezinho.

— Conrado, o que vamos dizer pra tua mãe e pra tua irmã?

— A verdade, pai. Que fomos surpreendidos pelos corpos secos. É assim que chamam, né?

— Lembra quando começaram a aparecer os cartazes e a gente não deu bola?

— E ainda rimos do nome, não é? Corpo seco! Que péssimo nome pra uma epidemia.

— Mas tinha o nome científico, que era pior.

— A Constância deve saber!

Como é bom rir disso, esquecer a gravidade do momento. Esquecer que vamos todos morrer. Vamos todos morrer. Queria ser como a mãe. Ela sempre foi uma visionária, uma mulher à frente do seu tempo. Eu queria ser como ela e acreditar que vamos sair dessa e que quando tudo acabar seremos os responsáveis pela reconstrução do mundo. Que coisa linda de acreditar. Que coisa mais linda.

— Constância! Vem ajudar — grito ao chegar.

— O que aconteceu?

— Minha filha, espera. Tem que jogar a mistura neles antes de entrar!

— Por que vocês tão molhados? O que aconteceu? O que aconteceu, Conrado?

— Calma! Tá tudo bem. Depois que pegamos o carro a gente foi até a praia pra tomar um banho de mar e lavar a nhaca daquelas coisas.

— Minhas ervinhas bentas! Vocês foram atacados! Eu sabia que ia dar merda. Não gosto disso, mas não posso evitar de sentir um prazer em pronunciar as palavras: eu avisei! Eu disse que era o posto da morte certa! Ali é lugar propício praquelas praga se aglomerarem. Sabem por quê? Porque sempre vai ter um trouxa pra ir encher o tanque de um carro no fim do mundo.

— Mãe, a senhora tem toda razão. Joga a meleca em mim, me dá um sabão, a pasta... Esse cheiro de carniça que eles deixam é horroroso.

— Conrado! O pai! Eles atacaram o pai?

— Não, minha filha, não fui atacado. Quer dizer, fui. Mas me arrebentei porque teu irmão meio que me atropelou.

— Atropelou?

— Meio que...

A Constância e a mãe me olhavam esperando resposta.

— Lógico que não foi por querer. É que quando as coisas apareceram o pai tava tentando fazer a bomba do posto voltar a funcionar e eu tava dentro do carro. Aí arranquei. Saí cantando pneu. Dei a volta e gritei pro pai tentar entrar no carro em movimento mesmo. Atropelei alguns deles no caminho e o pai acabou se machucando quando se jogou pra dentro.

— E eles te morderam? Te morderam? Te arranharam?

— Não. Isso aqui é porque o Conrado me atropelou, não ouviu?

— Vamos lavar vocês na mistura. Por que estão tão molhados?

— A gente foi pro mar. Pra tirar o cheiro podre. Constância, como é mesmo o nome certo do corpo seco? Eu e o pai estávamos tentando lembrar.

— Síndrome de Matheson-França. Causada pelo *Baculovirus anticarsia.*

O pai soltou uma risada e um gemido.

— Eu disse que ela ia saber!

— O que isso tem a ver?

— Não tem nada a ver, só estávamos conversando sobre isso na praia e falamos que tu lembraria.

Constância gostava de ser elogiada. Fiz bem em despistá-la com aquilo. Não foi muito difícil. A bicha é manipuladora.

— Eu tô com um pouco de frio, tem um casaco aí, mãe? Constância, me empresta aquele de tactel que tu tava usando.

— Tá lá dentro.

Eu vou no banheiro e encho o troço de papel higiênico, boto um esparadrapo. Deve ter gaze naquele kit que peguei na casa da Rosa. Ninguém vai ver essa merda. Mas tá seco já. O que que é isso? Não. Não. Não. Calma, Conrado. É só um fiapo, não é cogumelo. Não é. Vamos esperar. Pode não ter sido nada. Se não for nada, eles nem vão saber, nem vão precisar se preocupar. Se for algo, bem, se for algo... Estraçalho todo mundo como fez o pai do pequeno Jair. O que vou fazer? Ninguém pode ver que tô chorando. Ou podem, por que não poderiam? É uma situação difícil pra todo mundo. Se eu chorar não vão desconfiar de nada. Desconfiar de quê?

— Tudo bem aí dentro, Conrado?

— Tudo. Tudo, sim.

Abro a porta e abraço Constância.

— Não aguento mais. Não vou aguentar isso.

— Calma, calma, vai dar tudo certo.

— Vai.

— A mãe quer fazer um banquete de boa sorte, nas palavras dela.

Dou risada.

Mais tarde, à mesa, não consigo comer nada. Fico mexendo na comida com o garfo e logo a mãe percebe. Me diz sorrindo que é toda vegana. Eu sorrio de volta porque minha mãe é uma pessoa linda e maravilhosa. A pessoa mais maravilhosa que conheço. Dou uma garfada no purê de tubérculos, e outra, e mais uma, e sinto um enjoo descomunal. Corro porta afora e vomito tudo ao lado do canteiro da mãe. Parece que minhas veias vão estourar, que minha cabeça vai explodir, meus olhos ardem, minha garganta arde. A ânsia não passa.

— Quer uma água?

— Quero.

Encho a boca com a água que a mãe trouxe, sinto que não vou conseguir engolir. Bochecho a água e cuspo, como se precisasse lavar a boca.

— Tá melhor?

— Mais ou menos.

— Não força, meu filho. Se não tá bem, não força pra comer. Amanhã tu leva um pouco, eu ponho num vidro.

Dou risada. A mãe odeia plástico. Eu ri e meu nariz escorreu. Limpo um sangue marrom. Escondo a mão e falo que vou ficar ali mais um pouco, que eles podem voltar a comer sem mim.

— Já entro.

A mãe toca meu ombro bom com carinho, sinto sua mão quente.

— Tá gelado, meu filho, deve tá com a pressão baixa. Tenta comer um salzinho depois, qualquer coisa.

— Tá. Vou tomar um ar.

Quando a mãe entra eu enfio um montão de terra na boca e mais um pouco. É uma vontade muito louca de comer o chão. Enfiar a cara no chão e sair abrindo uma vala com a boca. No terceiro punhado noto uma minhoca e penso que não temos muitas diferenças no momento. Somos seres que comem terra. Separo a minhoca e devolvo pro canteiro. Ela fica ali por cima. Vai, minhoca burra, se enterra, some! Vai. Mas a minhoca não vai. Não acredito em mim mesmo quando enfio a minhoca na boca junto com outro punhado de terra. Sultão me olha de dentro da casinha. Olho de volta pra ele e ele se esconde sob um pano. Os bichos sentem. Quem disse que os bichos não sentem? Eles sabem o que é medo. Sabem o que é dor. Sabem e expressam.

Volto, e a mãe me olha muito séria na mesa, como se esperasse alguma resposta. Reitera que não devo comer se não estiver conseguindo. Não sei muito bem o que ou como aconteceu, só sei que quando me dou conta estou arrumando a mochila pra sair com a Constância. Não é como se tivesse apagado, mas entrado em algum estado de, não sei, automação. Meu Deus. E se da próxima vez que eu acordar, eu… e se eu fizer mal a eles? A mãe está com os braços em volta de mim. Parece que já me despedi de todos.

— Tá tão calado, meu filho. Tá com medo de ir? Se estiver, fiquem.

— Não é isso, mãe. É que… estou indisposto. Desculpa.

A próxima coisa de que me lembro é de minha irmã dizer:

— Conrado, tu acha que o pai e a mãe vão ficar bem? Tu acha que a gente deveria ter insistido? Fico me sentindo mal, mas tu sabe como é difícil convencer aqueles cabeças-duras.

Não me importa. Só me importa o vento na cara. Eles são adultos. Velhos. Devem ter o direito de escolher.

— Conrado? Tu não vai falar nada? Vai ficar aí olhando pra frente e balançando a cabeça como um morto-vivo?

— O quê? Não. Eu só não tô muito… ainda tô enjoado.

— Bom, acho que é a hora de abrir a caixa da emergência.

— Que caixa?

Me sinto melhor. O enjoo passou e minha autonomia voltou um pouco. Constância puxa uma latinha de Mentos do bolso e de dentro dela tira um baseado. A estrada está vazia.

— Quanto tempo não te vejo!

— Quanto tempo não te vejo!

Nunca entendi essa piada. Acho que surgiu quando estávamos chapados, por isso não faz nenhum sentido. Mas eu adoro. Nos deixa felizes. É o que importa sempre, não é? A busca da felicidade. A busca implacável da felicidade desconhecida. Vamos errando a mira e ficando alegres com as coisas erradas. Ai, ai, que coisa besta. Será que já fumei? Me sinto tão leve. A cabeça alta, nas nuvens. Parece que meu enjoo está voltando, tenho impressão de que comi bichos.

— Conrado, quando estávamos lá em Torres, no mercado ainda, eu peguei umas vodcas, tão aí na mochila. Peguei duas garrafas e pensei em encher a cara e me jogar no mar. Não sei, pensei em ir, ficar inconsciente, só ir, boiar pra longe.

Não posso deixar de pensar que gêmeos realmente estão conectados das maneiras mais loucas que a genética e as coisas etéreas e espirituais podem oferecer. Éramos a mesma coisa. Agora já não somos. Não mais.

— Constância, eu senti a mesma coisa. Depois de tudo, levei o pai pro mar, levei o pai e queria tomar um banho de sal. Me lavar do podre. Fui entrando e entrando, mas ouvi a voz do pai e, não sei, um senso de responsabilidade e culpa me acometeu. Eu voltei, mas queria ir, Constância. Ir.

Não sei se falei tudo de um modo que a Constância tenha entendido.

— Hein, Conrado?

— O quê?

— Não acha que esse carro aí na frente tá estranho?

Fumamos tudo? Passou a chapadeira. Que troço forte.

— Conrado, pega logo o revólver, caralho, tá aí no porta-luvas.

Constância se debruça no meu colo. Tenho vontade de afagar seus cabelos, de acarinhar sua cabeça. Minha irmã, como eu te amo. Eu te amo tanto.

— Conrado! Conrado!

Constância sacode meus ombros. Atrás dela a praia é divina. Aposto que a água é limpa e calma. Não chora, Constância. Não chora. Vai dar tudo certo. Vai dar tudo muito certo. Eu só vou ali comer um pouco de areia e já volto. Isso me deixa melhor, segura a vontade animalesca que tenho. Tenho vontades horríveis, Constância.

Onde tu foi?

Espero que eu não tenha te feito mal.

Que gosto é esse na minha boca? O mar agora está nas minhas costas.

O mar tem um cheiro horrível de sal e água. Bebo será? A água que escorre de mim é turva. Que gosto é esse na minha boca? É delicioso.

Essa gente fede a desejo.

Essa gente está impregnada de um cheiro que aguça o pior e o melhor do que somos.

Somos bicho.

Constância, não quero que tu sinta nada do que eu sinto. Me promete que não vai sentir nada. Nem o gosto da carne. Nem o peso da água.

Nada.

Regina

Ela nunca se lembra dos sonhos, mas dessa vez as imagens ficam: o oceano, as ondas do mar. Ela se debate e afunda, chama por ajuda e ninguém a escuta. O marido, na margem, tem a cara entalada na terra e come grama.

Acorda no calor, a pele derrete num quarto escuro e abafado, onde crianças respiram e roubam seu fôlego. Vê a colona desenrolar uma faixa de gaze com sangue; outra a olha preocupada. Estão falando dela. Perde de novo a consciência.

Está escuro, ouve risinhos. Sente cheiro de estrume e suor, alguém se move muito perto.

— E se a gente puser ela de lado?

Resolvem tentar.

São dois homens. Regina sente a queimação no flanco direito, um deles a agarra pelos cabelos, outro ergue sua perna direita. Os olhos dela estão fixos nas linhas tênues de uma cama mais alta, onde uma menina acuada a observa em silêncio.

Eles a deixam torta no chão, com os olhos vidrados na parede.

Outros a visitam nos dias seguintes. Regina tem um nome para cada um deles. Ossudo gosta de falar com ela. Folgado demora a gozar. Pimpolho é gordo, ela sente o frio da sua barriga antes mesmo que ele comece. Estrume e Gafanhoto vêm de madrugada. Barbicha gosta de olhar para ela e a vira de lado, mas tem vergonha quando as meninas no quarto estão acordadas.

Regina se afunda de novo no oceano, abre os olhos e está de noite. Uma lâmpada vermelha ilumina o corredor, ela sente a respiração das garotas deitadas, apertadas nas camas. A janela está entreaberta, ela vê o brilho das estrelas.

Há algo ali.

A sombra se abaixa perto do rosto dela.

— Psiu.

A menininha a chama. Regina vê os pés sujos, os joelhos magros, sente o cheiro de terra úmida. Parece um bicho. É a filha mais nova do Cidão.

— Psiu. Tia.

Regina ergue o rosto, não sabe se delira. A menina lhe dá um pequeno artefato e some pela janela. Ao fundo, Regina ouve o som ininterrupto do gerador.

Ela aperta o objeto, sente a superfície do lápis com ponta quebrada. Aperta com mais força.

Não vai decepcioná-la.

Murilo

Porque sobraram o Cauã, o Levi e a mãe. Claro, e o Baleia. A gente alterna puxando uma carroça. Minha mãe se preocupando. Eu puxando de bicicleta uma carroça que nem foi feita pro apocalipse. Nada foi feito pro apocalipse. Mas eu carrego. A gente pedala, puxando a carroça quebrada. E eu não sou mais criança. Eu pedalo como adulto. Até o momento em que chega a hora do Cauã pedalar. Ou da mãe pedalar. E eles são adultos. E ser adulto quer dizer nunca dizer que você cansou, apesar de estar visivelmente podre. Apesar de todo mundo achar que você praticamente virou um corpo seco. Aí a gente troca. A mãe, o Levi, o Cauã, eu. E eu pedalo. Porque não sou criança. Apesar disso, as crianças menores cuidam das menores ainda. E eu tinha a Lulu no colo.

Só que o momento em que eu não sou mais criança é este momento. É o momento do Levi pedalando, mas também é o momento dele. Quase caindo, mas voltando, o Cauã empurrando ele. Foi naqueles rostos deformados.

Só que as forças que você faz. Não só porque ajudou a pedalar uma carroça. Mas, quando você anda, você empurra o mundo, que te empurra de volta. Estamos numa carroça. A mãe pedala, desta vez que achamos. É a vez dela. O puxar é igual o empurrar. Que é nos levar, quando não tem mais carro e não tem mais posto de combustível. O Cauã me olhava. Mas foi no desequilibrar do Cauã.

— Opa!

A gente sorriu, não só porque ele estava bem, mas porque a gente seguia em frente. Aí eu não era mais tão criança. Ele caiu. Porque algo puxou. Algo trouxe pra baixo.

Foi quando a mãe parou de pedalar. Quando tudo parou.

Eu, a mãe, a carroça, a Lulu.

Foi na descida de tudo isso. E a mãe gritava:

— Ele morreu!

Foi nos gritos da mãe. Que não pararam.

Nos nomes.

Na mão que ainda se mexia enquanto ele era devorado.

— Matou ele!

Estamos só nós. E uma bebê. E uma carroça.

É neste momento que tenho que puxar o corpo da mãe da carroça.

Porque o bando de bestas se distraiu por muito pouco tempo. Bichos.

E uma carroça é lenta.

E eu puxo o braço da mãe.

— Não era nada demais!

Eu não sou mais criança. Na minha mochila, umas latas de milho, uma garrafa d'água, duas cervejas gringas, o Tupperware do Baleia.

Tudo batendo ali dentro, uma trilha sonora.

Sob o braço esquerdo, a Lulu como se fosse um linguicinha brigão que eu precisava tirar da rua o mais rápido possível.

Vejo uma arma cair rolando de baixo de um saco de arroz.

Penso na Pilar, Camila e no Pancho.

Eu não sou mais criança.

E pego a arma e enfio no bolso.

Agora eu, não mais criança, puxo minha mãe.

— Vem — eu digo pra ela.

Ela chora. Ela fica parada.

Eu não sou mais criança.

Os bichos vêm.

Eu choro. Puxando.

— Vem — eu digo pra mãe.

Ela não desce da carroça.

Eu ponho a bebê Lulu no chão. Começo a subir.

Ela desce. Num salto.

Ela corre. Eu corro.

Ela pega a bebê.

A gente corre.

O grupo é de uns oito corpos secos.

A gente corre.

Alguns são homens.

A gente corre.

Outros são mulheres.

Mas nenhum deles de fato é.

Atrás de nós. Atrás de nós.

Alguns são rápidos.

Outros são mofados.

Mas nenhum deles de fato é.

A gente corre. A gente respira pesado.

Quando a mãe bota a arma na minha mão.

Tem uma casa. Na beira da estrada.

É bonita a casa.

E a gente começa a abrir o portão de uma casa na beira da estrada.

Eu choro.

E eu não sou mais criança.

A mãe chora. A bebê chora. Eu choro. Olho pra elas duas e sei, porque não sou mais criança, que tenho que deixar que chorem. Que eu chore. A gente fechou o portão da casa abandonada, e eu não quero entrar. A garagem parece fechada, parece que havia madeira na porta. Em algum momento. Quebro. Abro. Demoro um pouco pra tirar cinco corpos (não secos) já um pouco decompostos dali.

Entramos.

Parece um bom lugar pra chorar. A gente se senta.

Ficamos um pouco. A área fechada da garagem. Aquela parte. Eu puxo. É fechado.

A mãe fala um pouco, palavras estranhas. Quando para, ela se apoia na parede e fica sentada com o corpo fechado. Investigo aquela parte da garagem, mas só tem lixo. O grupo que estava ali antes parece ter morrido de fome. Há cobertores, camas, garrafas de água, mas tenho medo de contaminação. Há lanternas, fósforos, uma garrafa preta de uma bebida que diz Freixenet. A garrafa parece nunca ter sido aberta. Abro com um estouro que faz minha mãe e a bebê voltarem a chorar. Tenho sede. As bolhas ardem. Tomamos do bico. Espuma e mais espuma.

A bebê chora menos. Tenho sono e me sento do lado da mãe. Ela não me abraça. Uso ela de travesseiro, sentado de indiozinho, com a bebê entre as pernas. Ela segura a garrafa preta de formato bonito e toma. A mãe ainda murmura coisas. Murmura sobre ter sido culpa dela. Sobre o Levi ter sido uma vítima, sobre ela não saber que o Cauã sabia, porque era ela a carente na história, quem precisou de mais ombros do que merecia.

Adormeço.

Acordo com um cutucão. Três homens apontam armas pra nós. Eles têm os rostos cobertos com bandanas, não sei se por causa da contaminação ou o quê. A mãe não chora mais. Está explicando pra eles que vamos a Florianópolis. Um diz que eles também.

— Tem alguém mordido? — ele pergunta.

— Não — ela responde.

— Sangue?

— Tá vendo algum sangue na gente?

Ela aponta pra Lulu e pra mim. Apesar da sujeira, estamos limpos.

— Se quiserem ir junto na caravana com suas coisas, podem vir. Somos oito adultos, uma criança da idade dele e dois cachorros, se alguém tiver alergia.

— De onde vocês são?

— De vários lugares. Somos sobras.

— E por que a gente confiaria em vocês?

— Porque a gente não matou vocês enquanto dormiam.

— E se a gente não quiser ir?

— Aí a gente leva tudo que tiver de valor daqui. Mas vocês vivem.

— A gente vive.

— Vocês vivem.

Enquanto vamos caminhando pro acampamento, eles seguem negociando alguns acordos, termos e condições, tipo nós três ficarmos sempre juntos e podermos ir embora quando quisermos. É um mercado abandonado, e entramos pelos fundos. Passamos por três entradas com alavancas, roldanas e madeiras que têm que ser empurradas. Um dos armados vai na frente, e os outros dois vão atrás.

— Por enquanto, vocês só entram e saem com ajuda. Depois, a gente ensina onde ficam as armadilhas.

Eles retomam as negociações. A mãe diz que quer saber das armadilhas agora, caso precise escapar. Passamos por um corpo seco de um velho. É o da bandana azul-marinho que fala.

— Lucas, depois pega o Tomás e tirem aquilo dali.

Fede. Tudo fede. Um cachorro vira-lata faz festa quando eles entram. Devia ser peludo, mas todo o pelo está raspado. Ele para e nos cheira com cuidado, enquanto outro cachorro maior late. O maior parece um dálmata, mas com manchas marrons, talvez de sujeira.

Os homens tiram a bandana do rosto. As pessoas nos cumprimentam. Ninguém tem barba ou cabelo. Por causa da contaminação, ele explica pra minha mãe. Uma das mulheres nos serve um ensopado. Ela está grávida, e eu fico olhando a barriga dela por muito tempo. Ela me vê olhando e passa as mãos em volta da barriga, acho que com vergonha. Me viro pro meu pratinho, mas minha mãe põe a mão na frente.

— Não come. Se eu viver, amanhã você come.

Sinto fome. Mas entendo. Conto ao homem da bandana azul (que agora está no pescoço) sobre o Baleia. Trocamos sua água, damos comida. As pessoas conversam com a mãe, parecem trocar informações sobre o que viram ou deixaram de ver. Têm mapas, que mostram pra ela. Falam da contaminação, do governo e de sinais de rádio. Falam de ajuda externa, de uma divisão da Cruz Vermelha que morreu. Corpos secos internacionais. Falam de sinais de televisão, falam do mundo. Falam do contágio (sangue, mordida) e de como acabar com os bichos. Com os corpos secos, quer dizer. Fico ao lado da mãe, mas não falo nada. Quando dormimos, ela monta guarda.

Eles dizem que devem sair pra Florianópolis nos próximos dias. A pé, por isso aceitaram ajuda. Estão tentando achar mais animais, talvez um cavalo, um bicho de carga. O bandana azul olha pra bebê.

— Não sei se vocês vão conseguir ficar com ela por muito tempo.

— A gente também não — respondo.

Nomes. As pessoas são nomes que aprendo e esqueço. Eu sou adulto. Não pergunto da criança da minha idade, e ninguém me explica nada. Nos dias que se seguem, raspam minha cabeça, me ensinam a usar um revólver. A grávida cozinha bem considerando as poucas coisas que tem. Ela sorri muito. Uma das mulheres fez crossfit e tenta me ensinar coisas. Como subir numa corda, como pular alto. Eu não aprendo muito. Caio bastante. Meu corpo dói. Mas tenho a sensação de que estamos progredindo. Ela troca minhas roupas e explica que temos que pôr fogo nas anteriores.

— Contaminação — ela diz.

Eles têm um monte de roupas limpas de criança. A mulher sorri dizendo que acharam um estoque de uma loja. Aprendo histórias. Da vez da loja. Da vez do tiroteio na livraria na Coronel Fernando Machado. Aprendo nomes. A grávida se chama Rita, outras duas mulheres são Teresa e Renata. A professora de crossfit é Lara. O bandana azul se chama Gustavo, e ainda tem o Thiago e o Dante. Um espinhento mais novo é o Lucas. Os cachorros são Gordo e Roliço. As costelas de todos, inclusive dos cachorros, saltam pra fora.

A mãe sai com alguns homens à procura de cavalo e talvez mais gente. Querem uma caravana com quinze pessoas. Quinze parecia um bom número, disse Lucas, mas era arbitrário. Onze também era bom. Alguém deveria me explicar o que é arbitrário, mas tenho vergonha. Um dia, trazem uma galinha viva, mas ninguém parece feliz, porque estão divididos entre comer ou esperar por ovos. Ela não dá ovos. No quinto dia, a Rita acorda todo mundo com o barulho de pescoço de galinha quebrando.

Reforço minha mochila, que originalmente era só uns cobertores amarrados. Me ensinam a ferver água, a fazer fogo. Algumas noites, começam a me ensinar como me orientar pelas estrelas. A mãe diz que já sabe, mas senta do meu lado igual, prestando atenção. À noite, acendemos fogo tanto pra cozinhar quanto pelo calor. Eu aprendo a fazer e manter fogo. Sou bom nisso. Um dia, Dante e Teresa não voltam.

— Mordidos — diz Gustavo.

Todo mundo come cabisbaixo, mas não fala nada. Andamos. Olho o chão.

Dois dias depois, partimos pra Florianópolis. Um carro amontoado de gente. Uma Saveiro. Eu continuo responsável pelo fogo, por esconder a trilha. Começo a aprender a ler as movimentações de corpos secos na terra.

Aponto marcas no chão.

— Três dias? — digo.

— Não, é que choveu — diz a Lara. — Deve ter sido mais.

Seguimos. Ajudo a roubar duas pessoas no caminho, porque, me explicaram, elas tinham sido mordidas e iam virar corpos secos. Minha mãe me aponta uma placa verde, que diz SOMBRIO, TURVO e ERMO, com quilometragem e direção ao lado do nome de cada cidade. Uma mulher nova, formada em veterinária, fica com a gente um pouco e nos ajuda a resgatar um cachorro. Por algum motivo, escondo o Baleia dela. Dias depois, rouba umas coisas nossas e vai embora.

Regina

A luz brilha através das persianas, ela está de bruços nos lençóis sujos. No corredor, o homem que ela chama de Barbicha faz piada, e a colona ri. Há mais uma menina no quarto, na cama de solteiro, espremida sozinha contra a parede. Algo saiu errado quando foi levada para o dr. Eduardo. As mulheres falaram a noite inteira em hemorragia, a criança mal se mexeu desde então.

Regina às vezes ouve as meninas gritarem. Em algumas noites, julgou distinguir Valéria berrar, depois o som das colonas esbaforidas, cintos estalando, xingamentos. É uma menina rebelde. Regina se orgulha dela.

Conta os passos de Barbicha se aproximando da porta. Nos dias de delírio, ela se perguntava quem seria o primeiro. O acaso escolheu que fosse ele, e Regina não fica feliz nem triste.

A porta range, o homem para na soleira.

— E a menina aí na cama?

— Tá mal, tadinha.

Silêncio.

— Não dá pra mudar ela pra outro quarto?

A colona ri e se distancia pelo corredor. Regina ouve a porta ser fechada, depois o som metálico do cinto desafivelado.

A calça jeans cai, ele não tira as botinas. Se ajoelha, Regina vê o braço esquerdo peludo se apoiar no piso, ao lado do colchão. Como sempre, ele a vira de lado, quer ver seu rosto enquanto a estupra. Com a mão direita, ergue a coxa nua e a afasta.

Regina está de olhos abertos, parece lúcida. Barbicha fica um momento sem saber o que fazer. Ela ergue o punho direito dos lençóis, bate e volta, sem tirar os olhos dele. O peão franze o rosto e leva a mão ao pescoço. Sangue fresco escorre entre os dedos. Regina se apoia no cotovelo e sobe o punho de novo. O lápis sem ponta crava no olho direito de Barbicha, que se atira para trás. Regina se ergue e cai sobre ele, como se estivessem colados. Ela joga seu peso no lápis, o homem a soca, a boca dele gorgoleja, ela futuca o material macio da cabeça, raspa a ponta cega na parede do crânio até que a luta se extinga.

A menina deitada a observa com os olhos febris. Regina leva o indicador aos lábios, pede que fique em silêncio.

Ela agora tem um canivete.

Se ergue descalça, ainda de calcinha, com a atadura suja ao redor do tronco por baixo da camiseta. O flanco direito dói, ela respira fundo, abre a porta e sai para o corredor. Há portas fechadas de ambos os lados das paredes rosadas, o ladrilho é branco, ela caminha até a sala de entrada, de onde vem o barulho das crianças brincando.

Uma colona jovem está curvada de costas para ela, ajudando uma menina a colocar a roupinha da boneca. A menina vê Regina e escancara a boca. A colona vai se virar, mas Regina cai em cima dela com a lâmina aberta, enfia e tira, enfia e tira, enfia e tira. A colona para de se agitar e se fecha como um tatu-bola. Regina não para.

Quando larga o corpo e ele cai de lado nos ladrilhos avermelhados, Regina nota como a sala ficou em silêncio. Há oito meninas ali, de diferentes idades. Todas olham para ela.

A garota com hemorragia desponta no corredor, seguiu Regina até ali. Se ajoelha sobre o cadáver, vasculha os bolsos e tira um molho de chaves.

Outra colona chama da varanda:

— Ô Solange!

Deve ter estranhado o silêncio. Entra leve e sorridente, estanca na entrada ao ver Regina em pé no meio da sala. Pernas brancas e joelhos massudos, calcinha encardida, camiseta com manchas de sangue antigo e novo. Olhos sem expressão alguma.

A vigia grita quando lhe mordem a canela, grita quando arranham seu rosto, quando cai no chão e lhe arrancam tufos de cabelos. Ainda tenta se erguer. Uma garota mais velha desce o cabo de vassoura na cabeça dela, há um estalo seco. Regina afasta algumas meninas, se ajoelha e puxa as calças da colona. Tira as botinas e as meias brancas. Um revólver cai no piso, ela estapeia a mão de uma criança e diz que aquilo é dela.

A menina hemorrágica abre as portas do corredor e as garotas passam correndo por ela como um enxame de marimbondos. Regina enfia as meias com pressa, abotoa o jeans folgado, enfia o canivete num bolso, o lápis no outro, calça as botas e pega o revólver.

A porteira está escancarada, outra colona foi jogada entre a cerca elétrica e o arame farpado, ela grita e se sacode, não consegue se soltar. As meninas correm pela estrada de terra na direção da sede. Regina as segue mancando.

Dois peões saem da casa dos geradores e atiram com fuzis, as meninas parecem protegidas por Deus, ou são eles que não têm pontaria. Um dos homens foge. Regina passa o estábulo e, em vez de segui-las, quebra à esquerda a caminho do galpão. As pontadas no flanco direito a fazem parar e respirar. Leva a mão ao quadril, um homem vem subindo pela trilha com uma doze. É o Pimpolho, que a sufocava com seu peso. Regina estende o revólver, mira. Está perto, não vai errar.

— Ei, gordinho!

Ele se vira e arfa, o rosto se petrifica. Parece que a reconheceu, Regina gosta disso.

Atira uma vez e erra. Outra e erra. Pimpolho ergue a doze. Atira a terceira e erra. Ele faz pontaria. O quarto tiro acerta a coxa, ele cai para a frente como se tivesse levado uma rasteira. Regina caminha até ele, o braço direito formiga de dor. O homem chora e pede desculpas, diz que tem família, ela ouve apenas o zunido dos disparos recentes. Guarda o revólver no cós da calça. Pega a doze do chão, aponta para a cabeça dele, a poucos palmos de distância, fecha um olho para mirar e aperta o gatilho.

A cabeça explode, ela é jogada para trás com o coice da arma e cai de costas na terra dura. Sente falta de ar, não consegue se mexer. Lágrimas de dor escorrem. Regina leva a mão à atadura e os dedos saem com sangue.

Ela se apoia, senta, tenta respirar. Ouve estalos, o ouvido ainda está entupido, olha na direção do moedor de carne e mais além, para a casa dos geradores. O peão solitário defende a posição, as meninas roubaram uma arma e atiram de volta, é incrível como aprendem rápido.

Regina se ergue e desce mancando até o galpão, onde há duas picapes estacionadas. Não parecem tão grandes agora, mas são grandes o suficiente. Leviatás encalhadas. Abre a porta da que parece mais ameaçadora. Tem a carcaça soldada, rodas largas, trilhos, suspensão elevada. Regina transfere a doze para o banco de passageiros, não encontra a chave na ignição.

Ela procura nos vãos da porta e entre os assentos. Abre o porta-luvas, vê uma flanela laranja e um ímã de Nossa Senhora. Desce da picape e encontra a chave sobre a roda dianteira esquerda. Vai ao galpão, escancara os armários de metal, tira as caixas de bala, cada uma tem um tamanho diferente, a gente está sempre aprendendo coisas nessa vida. Pega também os galões cheios de diesel que eles mantêm no canto do pátio. São pesados, ela bufa e sente as pontadas na ferida aberta. Leva tempo até colocar todos os que cabem no porta-malas. Os galões que sobraram, ela esvazia no gramado. Não quer que ninguém a siga.

Senta no carro e gira a chave. O motor ronca de primeira, o escapamento solta uma fumaça preta. Ela busca a regulagem do assento, nunca se sentiu tão alta. Na estrada à frente, dois peões cruzam correndo. Gostaria que fossem Estrume e Gafanhoto, para passar por cima deles.

O carro engasga e a direção é pesada, mas Regina aprendeu a guiar caminhonetes na maldita fazenda do sogro e acelera no aclive, pega à esquerda na estrada de terra. As meninas derrubaram o peão e algumas entram gritando na casa dos geradores. Regina vira à direita, na estrada principal, e freia na frente da sede.

Trava uma batalha mental sobre descer ou não descer. As janelas da picape foram trocadas por telas de arame. Regina dá três buzinadas e grita através delas.

— Valéria! Coisinha!

Nada. Estala a língua, contrariada, desliga o carro e pega a doze. Manca pela entrada principal, a cada passada é como se lhe perfurassem o fígado.

— Valéria! Coisinha!

Algumas garotas entram e saem da varanda, usam roupas dos donos da casa e riem. Os rostos estão manchados de vermelho. Uma cadeira atravessa o janelão de vidro. Alguém solta gritos excruciantes lá dentro, e Regina decide que é melhor dar a volta por fora.

Contorna a casa, fumaça preta sai pela janela de um quarto. Regina desemboca na piscina nos fundos, onde crianças mergulham peladas e se divertem.

Alguém muge e gorgoleja na água. Duas meninas no alto do toboágua gargalham. Seguram uma corrente retesada nas mãos. Puxam com esforço e, na beirada, emerge o rosto acinzentado da empregada grisalha, içada pelo pescoço. A mulher busca ar, tenta afrouxar o aperto. As meninas a soltam de novo e ela afunda. Mais gritinhos de empolgação.

Regina entra pela área de serviço, crianças correm da cozinha com pacotes de biscoito. Outras vasculham os armários. Ela as empurra para o lado para ver o que sobrou. Os biscoitos doces e os recheados se foram, sobraram os de arroz, torradas light, garrafas d'água, atum e alcaparras em conserva. Ela procura sacos de lixo e pega o que pode. Pergunta a uma mais velha, que come um resto de frango assado ao lado da geladeira:

— Você viu uma menina chamada Valéria?

A menina a encara com frieza, Regina entende que não está segura naquela casa. Tosse, vem uma fumaça densa por baixo da porta da sala. Tenta levar os dois sacos da pilhagem, mas são pesados demais, ela mal consegue se curvar.

Então lá está a coisinha, em pé na cozinha branca, o corpo nu recoberto de lama seca e folhas, o cabelo eriçado, espeto nas mãos, uma criatura da floresta.

Regina lhe entrega um dos sacos.

— Me ajude aqui.

A garota arrasta o saco atrás de si, seguindo a mulher.

Ouvem coisas se partindo na sala, a porta se escancara com gritos perfurantes. Uma criança passa com o corpo em chamas, e há risadas ao fundo. Ela queima as roupas penduradas na lavanderia, cruza o gramado, derruba uma espreguiçadeira e se joga na piscina. Três garotas correm atrás dela com facas e garfos. A coisinha para de arrastar o saco e olha maravilhada. Regina grita.

— Meu Deus, vão botar fogo em tudo.

E depois:

— Não rasgue o saco, menina!

Elas contornam a casa, percorrem o caminho da entrada. Enfiam os mantimentos no porta-malas enquanto o fogo lambe as portas da varanda e a fumaça preta toma conta do céu.

— Cadê sua irmã?

Mais gritos. Um homem gordo e branco, só de calça jeans, passa correndo pela estrada de baixo. Uma horda de crianças o persegue, atirando pedras. Ele implora, cai e se levanta, cai e se levanta. Sangra como Kadafi.

Ela sabe quem é. O dr. Eduardo despenca perto da cerca, as maiores vão até ele e o puxam pelos cabelos. O homem chora. A primeira enfia uma faca de cozinha na barriga dele, outra arranca sua calça.

A coisinha aponta para baixo, na direção da casa dos geradores, e grita:

— Valélia! Valélia!

Uma explosão. A porta e as janelas da casamata vão aos ares, uma bola de fogo se ergue no céu, levando as telhas consigo. Os pássaros alargam os círculos sobre o pasto e se mesclam à fumaça.

Diante do flamboyant em chamas está a menina, com um fuzil cruzado nos ombros. Ela coça o nariz e olha para as duas. Uma nova bola de fogo engole a casamata, Valéria é uma silhueta negra recortada contra as paredes do inferno.

Regina acena para que venha à picape.

A coisinha corre afoita na direção da irmã. Valéria caminha até ela, sem largar o fuzil.

Uma é a vida da outra. Aquele é o reino delas agora.

— Valéria... Coisinha...

Não respondem.

Regina entra na picape sozinha e acelera, olhando apenas a estrada.

Mateus

Tulipa acorda sobressaltada. O carro está desacelerando, e ela pergunta o que aconteceu. Mateus a tranquiliza. Estão há quase duas horas na estrada, já passaram por Angra dos Reis, e ali lhe parece um bom ponto para uma parada: mato por todo lado, nenhum povoamento à vista. Ele sugere que ambos desçam do carro um pouco para se alongar. Tulipa revira os olhos.

— Não vai fazer diferença agora. Vamos adiante.

— Se você estivesse contaminada, a corpo-secagem já teria começado.

— Pode ser resultado da heparina. Ou da injeção de não-sei-o--quê. Aliás, talvez seja hora de tomar outra dose. Preciso que você veja uma coisa.

Tulipa olha em volta. Os arredores lhe pareceram tranquilos, então ela abre a porta, coloca as pernas para fora, abre o cinto e baixa a calça. Mateus dá a volta pelo carro para olhar a perna dela direito. O inchaço e a vermelhidão continuam, mas não há ainda nenhum outro sinal aparente de corpo-secagem. Ele não é médico, não sabe dizer se os remédios de fato retardam o processo tanto assim ou se é só uma trombose comum. Como se uma trombose já não fosse o bastante. Tulipa se põe de pé, caminha um pouco ao redor do carro, olha para o céu. Não há nenhum pássaro por perto, e isso a tranquiliza.

Eles seguem viagem. Agora ela não vai mais conseguir dormir, pois eles entram em áreas urbanas, outrora mais populosas pela proximidade do Rio. Mateus sugere que tomem o caminho da Zona Sul.

— De jeito nenhum. Haja o que houver, não sai da BR-101.

Ela explica que há muitos túneis na zona sul carioca, e cada um é uma armadilha em potencial. Mas há mais do que isso: quando ainda estavam no hospital, Tulipa ouvira no rádio que a Barra da Tijuca devia ser evitada a todo custo, não tanto pelos corpos secos, mas pelo modo como se reorganizara após a epidemia. Algo relacionado aos shopping centers, anarcocapitalismo e milícias particulares.

Na altura de Itaguaí, carros se amontoam de ambos os lados da pista, como se empurrados à força para abrir passagem. Um tanque do Exército jaz inclinado, metade dele sobre um carro. Num posto de gasolina, dois corpos secos se arrastam a esmo, os veem passar e correm atrás do carro, como cães. E, como cães, logo se cansam e se distraem com outra coisa.

Tulipa suspira, ansiosa. Mateus puxa conversa.

— Você veio de onde mesmo? Pernambuco, não é?

— Isso. Minha família morava no Recife. Antes da epidemia.

— Sinto muito.

— Eles não estão mortos, Mateus. Só foram para São Luís.

— Ah. Que bom. Não sabia. Você conseguiu manter contato com eles?

— Falei com minha filha algumas vezes pelo rádio.

— Confesso que nunca entendi por que foram escolher logo São Luís para ser a cidade-santuário do Nordeste.

— Porque é uma ilha. São Luís no Maranhão, Florianópolis em Santa Catarina, e Vitória no Espírito Santo são as únicas ilhas-capitais do país. Mas a epidemia chegou em Vitória antes que conseguissem criar barreiras sanitárias. Eu... assim que as coisas começaram a ficar feias, consegui dar um jeito de mandar minha família para São Luís.

— E no Norte? Como será que estão lidando com isso por lá?

— Parece que os corpos secos não duram muito na selva. A natureza os come, e os animais não são afetados. Mas, nas áreas urbanas, não faço ideia.

Ela põe outra cápsula de etexilato de dabigatrana na boca, pega a garrafa de água e toma um gole para fazer o comprimido descer.

Quarenta minutos depois, entram no Rio de Janeiro. Seguem pela BR-101 evitando cruzar o centro da cidade, saindo da rodovia apenas quando entra na ponte Rio-Niterói. Ali tomam o caminho do aeroporto, seguindo até a avenida presidente Vargas. Tulipa olha pela janela.

— Tem algo errado com o Cristo, não acha?

— Daqui não consigo ver.

— Ah, minha nossa.

— O que foi?

— É a cabeça. Não tô vendo ela. Acho que caiu.

— Do Cristo?

— É.

Chegando ao fim da avenida, ela indica a direita.

— Dobra ali.

— Não é contramão?

— Mateus...

Ele solta um "ah" suspirado. Não existe mais país, e é difícil se acostumar àquela sensação, de uma ausência intangível provocada pelo fim das regras mais básicas de civilidade. Alguns mortos vagam pelas ruas, a pele dura e ressequida se assemelha a uma casca de árvore tomada de fungos, e ao menos um deles dá o bote na direção do carro. Ele perde o fôlego em seguida, fica para trás, e Mateus o vê pelo retrovisor se deitar no chão, no meio da rua. Tulipa aponta a curva.

— Ali, pega a outra pista. A da direita.

— Não tô vendo onde tem passagem.

— Pelo amor de Deus, Mateus, passa por cima do canteiro.

Ele assente. É libertador ignorar qualquer orientação lógica e ir cruzando em linha reta, passando por cima dos canteiros. Podem ver o prédio do aeroporto Santos Dumont à frente, mas há uma barreira no caminho. Uma fila dupla de táxis amarelos bloqueia toda a frente do aeroporto. Do outro lado da barreira, há soldados armados. Tulipa coloca a mão sobre o braço de Mateus.

— Acho melhor parar.

Param o carro, olham em volta: só veem a metade superior de um corpo seco se arrastando uns vinte metros de onde estão, não parece ser ameaça. Tulipa esconde a arma debaixo da camisa e eles descem do veículo.

Fuzis são apontados detrás da barreira de táxis. Tulipa sabe o que fazer naquela situação: identifica-se como agente da polícia federal e dá nome de toda a cadeia de comando com quem podem verificar sua identidade. Mateus olha para trás, para aquela metade de corpo seco se arrastando aos poucos na direção deles. É uma situação ridícula.

— Somos só mortos ou vivos agora. Qual é o problema?

O soldado o encara.

— Os vivos. Os vivos são sempre o problema. Vocês não fazem ideia do que aconteceu aqui, não é?

O corpo seco se arrasta para cada vez mais perto e solta um ronco gutural. Falta-lhe um olho, a pele parece áspera e quebradiça, com cogumelos azulados brotando entre as fendas. O rádio no colete do soldado estala.

— Certo, vocês estão liberados. Podem passar.

— Por onde que entra?

— Tem uma abertura lá na ponta. Ou passem aqui, por cima dos carros.

Mateus e Tulipa sobem nos capôs dos táxis e cruzam a barreira. Caminham até o saguão do aeroporto, onde foi montada uma barreira sanitária, com três soldados da Marinha: um armado com metralhadora, outro com lança-chamas, e o terceiro com um extintor. Há uma estrutura com biombos brancos e uma mesa. Eles já viram postos de saúde abandonados mais bem equipados que aquilo. Discreta, Tulipa segura Mateus pelo braço e murmura:

— Vai dar merda.

Ao ver os dois, os soldados erguem as mãos, pedindo que parem onde estão, enquanto um deles chama os médicos. Tulipa se apresenta.

— Somos de São Paulo. Sou delegada da polícia federal, e falei com o dr. Mário Goldenberg pelo rádio, nós...

O soldado a interrompe, desinteressado.

— Certo, certo. Esperem aqui.

Vem um rapaz loiro de jaleco branco, com ares de cansaço, barba por fazer e olheiras. Traz uma prancheta debaixo do braço. Tulipa repete sua apresentação. Ele balança a cabeça em afirmação, mas a ignora, apontando os biombos.

— Preciso que tirem as roupas para fazermos um exame de sangue. Ah, e vocês têm que responder o questionário. Alguém tem uma caneta?

— Você escutou o que eu disse?

Um dos soldados entrega uma esferográfica para o médico.

— Tulipa e Mateus, é isso? Preciso saber as idades, de onde estão vindo e se algum de vocês já entrou em contato com os agrotóxicos gliforan, tricosato, ou qualquer outro produto da AgroTechBrazil. Se trabalham ou vivem em regiões de...

— Não temos tempo para isso. Chame o dr. Goldenberg, ele sabe quem somos, diga que...

— Não tem nenhum Goldenberg aqui, está bem? Agora tirem as roupas, depois a gente conversa. A ordem que eu tenho é que ninguém passa daqui sem ser examinado. Já tivemos problemas por causa disso.

— Olha, aqui está minha identificação. Não somos refugiados comuns.

Ela exibe sua carteira funcional da Polícia Federal, mas o rapaz revira os olhos e a ignora. Insiste que tem ordens do comando da Marinha. Se preferirem, podem dar meia-volta e retornar à cidade. Tulipa insiste.

— Já disse para chamar o dr. Goldenberg, ele vai explicar tudo.

— Não vou chamar o doutor para cada um que aparece aqui, tá bem?

— Ah, então você sabe quem ele é, só não quer fazer seu trabalho.

— E vocês não querem ser examinados por quê? Têm algo a esconder? Ou são examinados, ou podem ir embora.

O soldado com a metralhadora avança um passo. Tulipa recua.

— Se tocar em mim, vamos ter problemas.

— Isso foi uma ameaça?

Mateus ergue as mãos e pede calma.

— Gente, não precisa disso, vamos nos entender. Doutor, posso ter um minutinho do seu tempo? Vou mostrar uma coisa que vai deixar todo mundo mais tranquilo, está bem? De boa, sem necessidade de estresse. Posso me aproximar? Está na minha mochila.

O médico e os três soldados se entreolham, em concordância. O rapaz de jaleco consente. Mateus se aproxima, armas apontadas para sua cabeça, e tira a mochila das costas, abre o zíper e mostra-lhes o que há dentro. Devagar, tira quatro caixas de Bis branco.

— Uma para cada um, gente. Na boa, acho que são os últimos chocolates no Brasil. E é de vocês. Nós somos da paz. Agora, se o senhor chamar o dr. Goldenberg, tudo vai ficar explicado, inclusive o motivo pelo qual não precisamos ser examinados. Ele vai explicar, está esperando pela gente. Não é, Tulipa?

Ela concorda. O rapaz de jaleco olha para os soldados e suspira. Diz que vai chamar o doutor, mas que os dois devem esperar ali.

Meia hora depois, o dr. Goldenberg entra apressado no saguão.

— Vocês são o pessoal de São Paulo?

— Nós nos falamos pelo rádio, doutor.

— Sim. Mas onde está a dra. Sandra, onde está o resto da equipe?

Tulipa e Mateus balançam a cabeça. Mateus abre a mochila, tira o HD externo de Sandra e o entrega para o dr. Goldenberg.

— Ela pediu que eu entregasse isso a você. Pelo amor de Deus, faça um backup.

—Você é o paciente dela?

— Sou.

— Venham comigo.

Os dois atravessam o saguão seguindo o médico, saindo para a pista de pouso do aeroporto. No meio da pista, tem um Boeing 737-700 branco e vermelho. Eles notam que há movimentação lá dentro. O dr. Goldenberg aponta para o avião.

— Foi o último que pousou aqui, mas o aeroporto já estava em quarentena e não deixaram ninguém desembarcar. Estava contaminado, claro. Está aí há meses, é só não abrir.

Olhando para o prédio do embarque, Mateus vê que também há movimento lá dentro, mas de pessoas vivas, os observando com olhares indignados.

— São refugiados. Depois que passam pela triagem, recebem números por ordem de chegada. Estávamos usando navios da Marinha, mas o combustível acabou. Só temos o veleiro da Escola Naval agora, e ele leva de dez a quinze dias para ir e voltar de Florianópolis, depende dos ventos, principalmente no trajeto de ida. Mas já deve estar voltando por agora. Os próximos a embarcar já aguardam alojados na Escola Naval.

Tulipa fica inquieta.

— A situação em Florianópolis é estável?

— Imagino que sim. Só estamos fazendo o translado. O navio vai, larga os refugiados e volta. Não sei como as coisas estão por lá.

— Chegaram a considerar São Luís como opção? Que eu saiba, estava tudo bem organizado por lá no começo da epidemia.

— É, sabemos disso. Mas, com a escassez de combustível, tudo o que temos é um veleiro. A distância é muito maior, e o processo de evacuação do Sudeste seria muito mais lento.

— É, é. Claro.

A pista de pouso termina à beira da Baía de Guanabara. Duas pequenas pontes a ligam à ilha de Villegagnon, que abriga a Escola Naval da Marinha.

— Sabem, o Rio de Janeiro começou nessa ilha. No final das contas, me parece adequado que termine aqui. Claro, ainda tem gente que foi pro topo dos morros, já foi tudo zoneado, e tem os que não pretendem abandonar a cidade. A Barra da Tijuca nem queira saber, aquilo lá voltou ao feudalismo. Mas tudo o que resta enquanto governo federal organizado, oficialmente, está aqui neste aeroporto. Veem aqueles navios lá?

O médico aponta três fragatas paradas no meio da baía, duas visivelmente abandonadas e com marcas de avarias.

— São as fragatas *Constituição* e *Liberal*. Depois que Brasília caiu, e com ela o comando da Marinha, houve um desentendimento a respeito da cadeia de comando. Cada fragata tinha a bordo um almirante de esquadra, e eles ficaram numa disputa sobre quem ia assumir o Estado-Maior da armada.

— E quem venceu?

— Ninguém. Quando a base na ilha das Cobras foi tomada pelos corpos secos, os dois navios ficaram sem combustível. Sobrou apenas a Escola Naval aqui. E a fragata *Niterói*, que escolta a ilha mas não sai do lugar, para poupar combustível. O pouco que temos usamos para os geradores da ilha, e para os equipamentos de suporte do veleiro.

Eles chegam na ponte. O dr. Goldenberg acena para os soldados de vigília, e a passagem é liberada. Tulipa e Mateus entram na ilha.

— Em um dia, no máximo dois, o *Cisne Branco* deve estar de volta, e embarcaremos a próxima leva de refugiados. Vou acompanhar vocês até a enfermaria. Estamos com alguns problemas para conseguir água potável, mas podemos arranjar um balde para cada um, se quiserem tomar um banho. Os que estão na espera para embarcar costumam ficar alocados nos dormitórios, mas você fica com a equipe médica, Mateus. Podemos te colocar junto com ele, Tulipa.

— Não há necessidade. Não pretendo ficar muito.

Mateus se volta para ela.

— Como assim?

— Minha missão era te trazer vivo até a Escola Naval no Rio. Estamos nela, e você continua vivo. Cumpri meu papel. Mas não posso continuar sendo uma policial federal se não existe mais governo federal. Ou governo algum. Não tem nada para mim em Florianópolis. Além do mais, tem aquela questão…

Mateus balança a cabeça em negativo.

— Não. Se fosse para acontecer, já teria acontecido. Já se passaram bem mais de vinte e quatro horas. Tulipa, você não foi contaminada.

— Talvez seja efeito da heparina. Eu não quero… — Pela primeira vez desde que a conhecera, Mateus a vê ficar emotiva. — Não quero virar uma dessas coisas. Não quero dormir e acordar com a cabeça presa dentro de um cadáver ambulante, Mateus. E, se for para ficar viva, quero pelo menos… ver minha filha uma última vez.

Mateus a abraça, murmurando que tudo vai ficar bem, não porque acredita nisso, mas porque lhe parece ser a única coisa humana a ser dita. Ela enxuga as lágrimas e suspira. Diz que aceita um balde de água para um banho e que uma refeição quente seria agradável, se possível.

Cedo na manhã seguinte, ela vai embora.

Não se despede de Mateus, não gosta de despedidas. Conseguiu munição para sua Glock, alguns biscoitos, um mapa rodoviário e duas garrafas de água potável, que colocou na mochila sem olhar o que mais tinha lá dentro. Sai da Escola Naval, atravessa a ponte da ilha de Villegagnon e cruza o campo de pouso do aeroporto e o saguão. O carro continua no mesmo lugar. Aquela metade de corpo seco que se arrastava ao redor também está por ali ainda. Ela a ignora, entra no carro e verifica o nível do combustível. Tem o bastante para seguir por mais algum tempo.

Depois vai ser o que tiver que ser.

Tulipa parte pela Linha Vermelha. Quando abre a mochila para pegar o mapa rodoviário, encontra um pacote de Bis Oreo, com um bilhete de despedida de Mateus. Ela sorri.

É um longo caminho até o Maranhão.

Regina

Seguiu as placas que a levassem a qualquer lugar conhecido. No rádio AM, em diferentes canais, ouviu a mensagem:

O governo brasileiro está trabalhando por você. Se você não está contaminado pela doença do corpo seco, venha para Florianópolis...
Os seguintes pontos de embarque e triagem foram estabelecidos ao longo da costa: Ilha da Escola Naval, Rio de Janeiro...
...
E, agora, deixo vocês com a voz de Roberto Carlos.

O sogro gostava de Roberto Carlos. Ela odeia.
Cruzou as cidades de Israelândia, Messianópolis e Turvânia. O rádio é sua companhia.

Eu sei
Tô correndo ao encontro dela
Coração tá disparado
Mas eu ando com cuidado
Não me arrisco na banguela.

Entre Palmeiras de Goiás e Goiânia, ela procurou qualquer coisa que pudesse servir de atadura. Queria um frontalzinho que fosse, mas as farmácias tinham sido incendiadas, havia corpos estourados ou perfurados de balas por toda parte, e muitas moscas mortas.

Boto fé, não me iludo
Nessa estrada ponho o pé, vou com tudo
Terra firme, livre, tudo o que eu quis do meu país

Edeia, Goiatuba, Panamá, Xapetuba. Dormiu às margens de um circo desmoronado, o casal de girafas comia as folhas mais altas das árvores e trazia lembranças ruins. Divinópolis, Oliveira, São João del Rei, Barbacena. Acordou com dores no flanco direito e a testa quente, não sabia se delirava. Trocou a atadura.

Fez o que pôde para contornar Belo Horizonte. Passou às margens de Juiz de Fora. As curvas da estrada de Petrópolis, através das reservas naturais da serra de Araras, a fizeram chorar.

Eu me lembro do meu mundo
Eu piso mais fundo, corrijo num segundo
Não posso parar

Chorou, chorou como nunca tinha chorado. As pessoas deixadas para trás eram espetos na sua carne. Chorou pelo irmão e pelo pai. Chorou pelo marido e por Roberto Carlos. Na última noite antes do Rio de Janeiro, passou a mão pelo ventre e não se sentiu só.

Desvia de carros e ônibus parados pela estrada. Com a picape--monstro, paramentada com espetos, placas de aço e trilhos de trem, empurra alguns de lado, força o motor numa fumaça preta. A paisagem da cidade é de pontes inacabadas, lixo em terrenos baldios, casebres pela metade, outdoors rasgados. Ela não sabe se é efeito da catástrofe ou se o Rio de Janeiro sempre foi assim.

Pega o acesso à Linha Vermelha. Há veículos jogados de um lado e de outro da pista, Regina entende que outros passaram ali antes dela. Acelera pela avenida elevada entre casebres e galpões abandonados. Há sinais de fumaça nas favelas, o morro que dá no Cristo tem cor de carne chamuscada, ainda é possível ver as estrias de fogo subindo pela mata. Àquela distância, o próprio Cristo parece estranho, como se algo faltasse na sua anatomia.

O céu está coalhado de pássaros. Sempre que diminui, sente o cheiro de carniça se elevar no mormaço. Engata a quarta e pisa fundo.

O rádio falou de Escola Naval, ela não sabe onde fica. Segue as placas para Centro e Copacabana, pega o acesso da esquerda, conforme o indicado, desce do elevado, sobe de novo e, quando se dá conta, pegou o acesso da ponte Rio-Niterói.

— Puta que pariu placa filhadaputa.

Vê o mar cinzento e a baía. Continua em frente, não quer parar a picape perto da cidade. O mar está imóvel, com barcos à deriva. Ela vê o Pão de Açúcar e, mais abaixo, o aeroporto Santos Dumont, as pistas formando um tapete retangular sobre a água. No canto do tapete, há um avião vermelho e branco, de atravessado, esquecido como um brinquedo velho.

Regina segue pisando no acelerador, se volta para o caminho à frente, ou a falta de caminho. Um punhado de metros adiante, há pontas retorcidas de ferro, blocos soltos de concreto e depois o abismo. Ela freia a picape, o monstro rabeia na pista e fica de lado, a roda sacode. Regina olha pela janela e vê apenas mar, do outro lado o restante da ponte, sustentada por uma das pilastras.

Engata a marcha com cuidado, sente o carro instável, faz a volta e para. Desce com as pernas moles, se dobra enjoada, procura respirar. Não foi até ali para cair num buraco.

Caminha pela pista deserta, o vento é forte, os cabelos chicoteiam. Ela arruma o rabo de cavalo. Olha de novo o aeroporto, com o avião de atravessado. Há uma ilha colada às pistas, com prédios brancos e atarracados. Regina vê um barco estreito ancorado, tem movimento lá embaixo. Dois navios cinzentos da Marinha parecem estar à deriva, um ao lado do outro. Mais além, um veleiro enorme, uma caravela branca. Ela não sabe dizer que tipo de barco é aquele.

Ouve o som de um megafone, os ecos de uma voz grave, que se espalha ininteligível pela baía, como uma oração. Ela julga ser um chamado para o embarque.

— Puta merda. *Puta merda.*

Entra no veículo blindado e pisa no acelerador, o motor ronca e solta fumaça preta. O trilho frontal bate numa van, abre o caminho de volta.

Regina desce pela contramão e tenta se manter perto do mar. Freia ao ver movimento na pista contrária, um carro passa rápido por ela sem se deter. Regina se abaixa por instinto, tem medo de encontrar qualquer coisa que se mova. Volta a andar, por vezes se perde, o coração bate. Um grupo de corpos secos corre atrás da picape como cachorros, balançando as mãos carcomidas. Por todos os lados, há corpos estourados de dentro para fora, as costelas abertas como plantas carnívoras.

Na entrada do Santos Dumont, uma maçaroca de táxis amarelos se acumula, são a última barreira erguida contra a praga. Alguns corpos secos vagam fuçando os montes de lixo, procurando uma brecha. Regina dá ré, procura outra via. Dá a volta na contramão, sobe a calçada, faz a curva ao longo do estacionamento, arrasta carros parados no caminho e entra pelo embarque. No retrovisor, vê o céu negro. Nunca viu tantos pássaros juntos.

O motor continua ligado, ela espera para ver algum movimento. Está entre o prédio da área de embarque, à direita, e as grades do estacionamento, à esquerda. Atrás dela, fica a fachada espelhada de um shopping de três andares, com as portas escancaradas. A falta de visão mais ampla a deixa nervosa. Regina aperta a gola da camiseta, sem saber que decisão tomar. Tem a doze, uma pistola e o revólver de seis tiros. Tem o canivete. Avalia se deve descer ali; não acha boa ideia entrar num lugar fechado.

É difícil decidir com as dores no quadril e na perna direita. Está febril. Quando refez as ataduras, naquela manhã, ficou preocupada com a vermelhidão. A sutura preta entreaberta se afundava no tecido inchado.

E o som, aquele som. Ecos de uma ladainha no megafone. Como se viesse de todos os lados.

Regina ouve outro barulho, acima da voz amplificada e do ronco do motor. Uma tampa de metal caindo no chão. Vidros quebrando. O sol é bloqueado por pássaros, suas sombras correm pelo capô e tomam a pista. Ela olha de novo para as grades do estacionamento, não consegue distinguir nenhum movimento.

Até que todos os vidros espelhados do shopping estouram e a massa de corpos ganha a calçada como uma onda de lixo. As grades da garagem envergam e desabam, braços e pernas caem uns sobre os outros, peles descamadas, placas de crânio, sangue seco. Regina engata a primeira, os corpos secos vêm de todos os lados, uma menina em decomposição ri para ela antes de ser soterrada.

Regina pisa no acelerador, segura o volante com ambas as mãos. Os vidros ficam escuros, as rodas giram em falso, a picape sacode, a onda vai virá-la de lado. Ela engata o 4x4 e os pneus ganham aderência, giram e transformam os corpos em purê, o veículo avança num tranco e mergulha na segunda onda.

Aciona o limpador de para-brisa.

O motor ruge, fumaça preta vaza entre os corpos, o carro fura a arrebentação, salta e quica no asfalto. Alguns corpos secos se agarram às grades, outros são retalhados, Regina passa a área de embarque e tira dois táxis do caminho. A saída está bloqueada por mais veículos e corpos secos, não há como voltar à avenida.

Ela não tem mais dúvidas. Gira o volante para a direita, sobe na calçada e atravessa as portas duplas do saguão. Num estalo, os faróis no teto são arrancados, os retrovisores somem, o carro se projeta pelo piso de granito deixando uma trilha de sangue. Ela vira o volante para o outro lado, freia e acelera, perde o controle da picape e bate num quiosque de pão de queijo.

Os corpos entram por todos os espaços atrás dela, Regina dá ré, esmaga alguns com os trilhos traseiros, engata de novo a primeira e passa pela ala central do prédio antigo.

À direita, o janelão intacto se abre para a vista dos aviões abandonados.

Ela vira tudo, a picape derrapa de lado, os pneus rangem no granito, ganham velocidade. Regina pisca e abre os olhos quando cacos explodem num barulho de tempestade e a parede de vidro inteira desaba sobre ela. As rodas batem num canteiro de grama, a picape salta e cai de novo no asfalto. Ela ouve batidas na lataria, de alguns corpos presos ao veículo tentando entrar. Regina perde um segundo de atenção e atravessa um carrinho abandonado cheio de malas, roupas grudam no para-brisa, três cuecas, duas meias, um sutiã champanhe. A fivela de um cinto estala no vidro, uma calça de moletom se prende aos limpadores, sobe e desce, sobe e desce, espalhando sangue e pus. Regina aciona o esguicho e só ouve o som do motorzinho: não tem água.

Ela acelera às cegas na pista central, buzina sem saber a quem chamar. Tenta espiar pelas grades laterais, o carro bambeia, ela ouve os corpos batendo no teto. A mão de um deles esmurra o para-brisa, deixa a marca de gordura, bate de novo. Regina sacode o veículo, mas o filho da puta não se solta.

Ouve um estalo.

Outras mãos aparecem e dão tapas.

Outro estalo, mais alto, e ela olha o canto superior do vidro. Primeiro, há uma pontinha prateada, como uma gota. Depois, a gota se torna um risco vertical.

— Puta merda.

Um som oco a assusta. O corpo seco usa uma cabeça avulsa para arrebentar o vidro. A cada batida, partes do miolo vazam. Quando a cabeça atravessa o para-brisa, Regina se protege dos estilhaços, e o corpo seco cai para dentro. Ela sente o vento e, ao abrir os olhos, vê a asa do 737 atravessada na pista, como uma lâmina pronta para a decapitação.

Regina se joga por cima do corpo seco e ouve o choque de metal contra metal. O carro segue em frente e a capota voa, a asa entra e rasga, o carro acerta o gramado lateral e tomba de lado. Ela vê o corpo seco cair no chão, o carro continua a rolar, as ferragens da porta cortam o troço ao meio e o cravam no chão.

Ele ainda se mexe.

Regina luta com o cinto.

Cai no chão e pega as armas espalhadas na grama, depois de se esgueirar para fora.

O som distante da buzina de um barco a faz se lembrar de onde está.

— Puta merda.

Regina se ergue, e todo o flanco direito se imobiliza de dor.

— Puta merda!

Um corpo seco enorme, com macacão encardido de mecânico, cai da picape à sua frente e balança a cabeça atordoado. Regina ergue a doze e dispara contra o peito dele, que voa longe.

Ela corre mancando para a ponte da Escola Naval. Não está muito longe. Não há ninguém ali, não tem ninguém para recebê-la. O acesso está bloqueado com arame farpado e cones.

Regina ouve grunhidos atrás: há vultos saltando do avião, como se ela tivesse despertado um formigueiro.

Uma mulher de pernas longas, com traje ensanguentado de aeromoça, corre e baba na direção dela. O chapeuzinho voa ao vento, os cabelos tingidos não se soltam das presilhas. Ela abre a boca e estala os dentes, o disparo da doze a projeta para trás. Outro vem logo em seguida, de paletó e gravata de comandante, salta sobre Regina, que lhe dá uma coronhada. O cabo se prende na boca do filho da puta, deslocando seu maxilar. Ela abandona a arma e passa entre os rolos de arame farpado.

Saca a pistola.

O corpo seco de um executivo se engancha nos rolos de arame e cai no chão. Ele se ergue para correr, mas fica preso, grunhe arrastando os rolos atrás de si, estende a mão na direção de Regina, outro cadáver cai por cima dele. A aeromoça e o mecânico gigante passaram a barreira, a aeromoça tropeça nos cones e quebra o nariz.

Regina leva a mão ao flanco. Quando chega ao final da ponte, o comandante a alcança. Ela dispara, uma, duas, três vezes; ele titubeia, mas retoma a corrida. Regina dispara de novo, acerta três balas no peito, ele cai. Ainda rasteja, mas é pisoteado pelos outros dois.

Ela atira mais uma vez e acerta a cabeça da aeromoça. Dispara a seguir no mecânico, a arma estala em seco. Joga a pistola nele e saca o revólver. Descarrega as seis balas e volta a correr.

Regina contorna um edifício baixo, já pode ver o barco abarrotado de gente. Soldados armados, equilibrados nas amuradas, tentam conter as pessoas a bordo. Alguém grita e aponta, eles se viram.

— Esperem!

Regina grita e quase cai. Atira o revólver para longe e pega um último embalo. O som do megafone se torna claro, ou é Regina que delira.

Eis que estou à porta e bato, e se alguém ouvir a minha voz...

Ela não acredita quando o barco começa a se mover.

Ouve bufadas atrás de si. O executivo está de novo em seu encalço. Ao fundo, no início da ponte, há uma horda enroscada nos arames farpados. Os corpos putrefatos sobem uns sobre os outros, se afunilam na entrada e têm dificuldade de passar.

Regina tira o canivete do bolso, ainda correndo, e se detém para puxar a lâmina, tem medo de se cortar com essas coisas.

Espeta o coração do sujeito, que cambaleia. Ela gira a lâmina, o metal abre um rombo na carne podre, a gosma escura vaza na empunhadura e na mão dela. Regina grita e empurra o corpo para trás.

Ela saltita e estica o braço.

— Esperem!

Alguém grita do barco, dedos apontam para ela. Os marinheiros não passam de garotos, estão lívidos, sem saber o que fazer. Um deles segura um rolo de cabo na mão, mas não passa pela sua cabeça atirá-lo na direção de Regina.

Só mais alguns passos.

O casco se move, ela hesita; o barco se afasta na diagonal, ela vai saltar.

Alguém agarra sua camiseta.

Ela se desequilibra e cai. A manga e parte da gola encardidas ficam na mão do mecânico. Regina se levanta e tenta se soltar.

O barco se distancia, com o motor numa cadência pacata.

O lápis.

Regina o tira do bolso e o enfia na boca do mecânico, no momento em que ia descer os dentes sobre ela.

Não tem mais nada, não traz mais nada. Dá três passos, o casco se distancia, ela salta.

As mãos sacodem no ar e ela cai no vazio.

Mateus

Mateus é despertado pelo som distante dos pássaros. Se levanta da cama com pressa, lava o rosto e desce para o pátio da Escola Naval. Olha para o alto: uma revoada de pássaros cruza o céu na direção sul. Migração? Ele caminha até a beira da ilha, no lado voltado para o aeroporto, e olha o céu.

Há uma aglomeração incomum de pássaros lá para o centro da cidade, para além do aeroporto, e ele sabe o que isso significa. Uma tensão palpável percorre militares e civis na ilha. Mateus busca um enfermeiro com o qual conversou na noite anterior. Ele o segura pelo braço e pergunta se alguém mais notou aqueles pássaros todos lá no centro.

— Sim, estamos cientes. Mas o veleiro já está chegando. Não se preocupe, o comando da Escola Naval garantiu que daria tempo de embarcar todos.

— Todos?

— Todos os que estão aqui na ilha.

— Mas e o povo todo no aeroporto? Deve haver crianças lá.

O enfermeiro o encara em silêncio. Depois, suspira.

— Há crianças aqui também.

Ao final da manhã, a aglomeração de pássaros sobre o centro do Rio de Janeiro está ainda maior, mas isso acaba sendo ignorado pela chegada do veleiro. O *Cisne Branco*, com seus setenta e seis metros de comprimento, é o último navio à vela da Marinha brasileira. A escassez de combustível fizera de uma embarcação de mera função diplomática a única plenamente funcional da armada.

Os alto-falantes da ilha pedem que todos compareçam ao cais. O veleiro em si é muito grande para atracar no píer da Escola Naval, e explicam que um barco vai levá-los até o navio, em várias levas.

Enquanto aguarda no cais, Mateus caminha a esmo, impaciente. Olha o prédio do terminal de embarque do aeroporto com apreensão. Os alto-falantes da escola começam a tocar uma música típica de elevador para acalmar os ânimos.

Perto dele, uma mulher de cerca de trinta anos, trazendo pela mão a filha de onze, passa a mão nos cabelos da menina e diz:

— Viu? Eu falei que ia dar tudo certo.

Uma gaivota passa voando e solta um grasnado que assusta a menina, e as duas riem. Mateus ri também. Pensa em Murilo. Talvez porque já era adulto quando o irmão nascera, tinha com ele uma relação mais afetuosa do que com o irmão mais velho, com quem nunca se deu muito bem.

Não que fizesse diferença agora.

Ele olha a senha que lhe foi entregue. Será um dos primeiros a embarcar, mas isso não lhe parece correto. Pergunta à mulher com a menina qual é o número delas. A menina tem o número um, e a mulher está com o número três. As crianças serão embarcadas primeiro, umas dez ou doze. Mateus propõe trocar de senha com a mãe da menina. Não se importa de ficar para depois. Não se importa com muita coisa mais, àquela altura. A mulher agradece.

Os primeiros refugiados embarcam, e o barco parte até o veleiro. Alguém olha para o alto e pergunta se aquilo ali em cima é um urubu.

Mateus olha também, acompanhando o voo do animal para além da ilha, em direção ao aeroporto, onde se junta a outro, e mais outro, a centenas que parecem traçar círculos sobre o centro. O som distante de crocitar aos poucos se sobrepõe ao marulho.

Eles escutam tiros distantes. Os militares no perímetro de táxis? Também serão deixados para trás? O barco volta, e a segunda leva se prepara para embarcar. Depois que a embarcação parte, um enfermeiro reconhece Mateus e o toma pelo braço, irritado.

— Que merda você está fazendo? Já devia ter embarcado.

— Eu vou no último.

— O próximo é o último.

Um som distante de microfonia chama a atenção deles. Uma voz ecoa distante, vinda do aeroporto.

Eis que estou à porta e bato, e se alguém ouvir a minha voz e abrir a porta entrarei e cearei com ele, e ele comigo.

— Puta merda.

Um grupo de soldados sai correndo da Escola Naval, munido de escudos de choque. Vão na direção das barreiras improvisadas nas pontes que ligam a ilha ao aeroporto. Eles ouvem gritos distantes. As pessoas parecem estar saindo do aeroporto e atravessam correndo a pista de pouso. Num primeiro momento, Mateus pensa serem corpos secos, mas em seguida percebe que são os refugiados do terminal de embarque. Alguns sobem na carcaça do Boeing tombado, em busca de abrigo no alto.

Mateus olha o veleiro. O barco de translado está voltando para pegar a última leva. Olha para o alto: nunca viu tantos urubus juntos de uma só vez, é como a nuvem negra de um céu nublado. Há algo de antinatural naquela aglomeração, uma sensação cósmica de desequilíbrio irremediável o atinge. Parece o crocitar contínuo da morte, trazendo junto o cheiro de carniça e podridão.

Abafado pela balbúrdia dos pássaros, a voz monótona do Pastor dos Mortos se repete em alto-falantes distantes. É a mesma voz que Mateus escutou no hospital em São Paulo. Tem certeza agora de que é uma gravação.

Tiros são disparados mais perto. Os soldados na ponte derrubam alguns corpos secos mais adiantados, que se aproximavam da cerca de arame farpado. Já é possível ver uma multidão se arrastando do aeroporto pelo campo de pouso. Uma multidão morta, sob rasantes agressivos das aves. Uma multidão morta, faminta, pestilenta e agressiva. Alguns dão corridinhas curtas e param, como atletas asmáticos.

Quando o barco atraca, as pessoas se empurram no píer.

— Calma, tem espaço para todos.

Mateus lança um último olhar para o campo de pouso. Está inteiramente tomado pelos corpos secos agora. Ele sobe a bordo. A tripulação é toda muito jovem, composta de jovens de rosto assustado e uniforme branco. Mateus fica na amurada a boreste, olhando o aeroporto. Alguém aponta.

— O que é aquilo?

Uma buzina. Algo está acontecendo. Uma picape cruza a toda a velocidade a pista de pouso, passa pela asa do Boeing, tem a capota arrancada, bate no gramado lateral e tomba de lado.

No píer, os últimos embarcam. O apito do barco toca. Mateus vê que alguém sai de dentro da picape e corre mancando na direção da Escola Naval. Uma mulher. Está armada, e atira nos mortos que a atacam.

No barco, alguém grita para partirem logo. Algumas vozes se erguem pela mulher, dizendo para esperá-la.

— Ela vai conseguir.

Há uma torcida, é o instinto humano. Como nos vídeos de vida selvagem, sempre se torce pela presa.

Mais tiros. A mulher já passou pela grade, derruba o corpo seco de uma aeromoça e de um homem enorme, então vem correndo pela ponte. Talvez consiga. O barco começa a se mover. Alguns protestam, Mateus entre eles:

— Esperem! Ela vai conseguir!

Ela vem correndo, com corpos secos em picos de energia no seu encalço. Se desvencilha de um, empurra outro. Há uma ansiedade no barco, mas ninguém parece disposto a fazer nada, só observar. Mateus fica irritado. Ao seu lado, nota um aspirante segurando um rolo de cabo. A mulher grita:

— Esperem!

O barco vai se afastando. A mulher é atacada pelo corpo seco do homem em uniforme de mecânico, que a segura pela camiseta e tenta mordê-la. Ela o afasta e, quando chega na beira do píer, pula sacudindo as mãos no ar. Cai na água ao lado do barco.

Um suspiro assustado percorre a embarcação. Alguém grita. Mateus tira o cabo das mãos de um grumete e joga pela amurada na direção da mulher. O barco se move, cada vez mais rápido. A mulher agarra a corda com toda a força que lhe resta. Os marujos ajudam a puxar, Mateus grita para ela:

— Segura! Não larga!

Ele estende o braço pela amurada, pega o dela, ajuda a puxá-la para cima. A mulher o abraça com a força do desespero e os dois caem sentados no convés. Um marinheiro armado aponta o fuzil para ela, uma dupla de enfermeiros os cerca. Mateus ergue a mão, pedindo tempo.

— Calma, fica calma. Vai ficar tudo bem. Como você se chama?

— Eu... Eu... Regina.

— Eu sou Mateus. Esses homens aqui precisam examinar você. Vai ficar tudo bem, certo?

Ela balança a cabeça em concordância e chora.

Logo depois, estão todos subindo a bordo do veleiro, inclusive a tripulação do barco, que é deixado vazio para trás. O último resquício de governo abandona a cidade. O Rio de Janeiro é oficialmente terra de ninguém.

Os sobreviventes se amontoam pelos cantos. Alguns se deitam pelo convés, com cobertores nos ombros. Não há espaço para todos nos camarotes. Um marujo passa com uma bandeja oferecendo canecos de algo quente. Mateus pega dois e oferece um para Regina. Ele pergunta se ela está bem. A mulher não responde.

Os dois observam a nuvem espessa de pássaros sobrevoando a cidade feito uma praga bíblica e o Cristo decapitado no horizonte. Alguém perto deles lembra que o primeiro nome de Florianópolis foi Desterro, e que nada seria mais adequado agora. Conforme o país ao redor vai morrendo, tudo o que há pela frente é o passado.

Murilo

Rita morreu, assim como Thiago e Roliço. A Renata perdeu um braço tentando resgatar uma garrafa ainda lacrada de água com gás. Dias depois, a infecção a consumiu, apesar de termos cortado o braço. Ela morreu. Um pai e dois filhos se juntam ao grupo. Limpamos um acampamento que tinha passado por uma emboscada e ficamos ali. Minha mãe discute, porque quer seguir pela praia. Diz que as estradas devem estar mais livres por lá.

— Não — diz o Gustavo. — A gente vai pelas estradas principais.

— Quantos carros parados vai ter na rodovia principal? — pergunta a mãe. — E armadilhas? Se até aqui já foi difícil, imagina numa BR ou numa RS.

— Numa SC, tu quer dizer — diz o Gustavo.

Ele sorri. Minha mãe sorri.

— Isso. Numa SC.

Minha mãe e eu dormimos abraçados quando ela não tá de guarda. Eu durmo abraçado com a Lulu e minha mãe me abraça. É o meio da noite. As estrelas estão bonitas e o Cruzeiro do Sul está bastante visível. Minha mãe me segura apertado. E sussurra.

— Murilo.

Aperto os olhos e me viro pra ela. Minha mãe me aninha. Ainda fala baixo:

— A gente tem que ir embora.

Abro os olhos. Encaro minha mãe, que me encara de volta. Pego minha mochila. Não sou criança. A mochila está mais pesada que o normal, então eu abro e vejo que está cheia de coisas. A mãe fecha a dela. Noto que deixamos a sacola de coisas pra trás e mostro pra mãe, apontando. Ela faz que não com a cabeça. Eu imaginava que a mãe estaria com a Lulu no colo, mas não. Lucas e Gustavo deveriam estar de guarda, mas Lucas sorri para a mãe, e não vejo Gustavo. Enquanto nos afastamos, olho pra trás e vejo Lucas indo até nossa cama. Ele pega a bebê e a embala de leve.

Seguimos em silêncio. Até chegarmos na primeira praia. Ficamos na parte de trás de um restaurante de frutos do mar abandonado, olhando o mar. Tudo fede, mais que o normal.

— Por que a gente deixou a Lulu?

— Era o preço a pagar.

— Como assim?

— Ela era o preço a pagar, Murilo.

— Ir sem ela… era o preço?

— Murilo, por que tu ainda se faz de burro? Até parece que tu não viu o suficiente pra entender.

— Eu não vi o suficiente. Eu não entendo.

— Eu também não. Eu só sei que eu disse pro Lucas que a gente tinha que ir embora.

— Porque ir pela estrada era suicídio.

— É. Aí eu tentei negociar um monte de coisas. O Baleia, as mochilas, o pouco dinheiro que a gente tem, ouro, eu mesma. Ofereci tudo isso junto. Disse que a gente ia com a roupa do corpo e ele podia ficar com o resto. E nosso tudo era nada pra ele, sabe? E o que mais eu podia ceder?

— A gente tinha que ir embora.

— Era suicídio, Murilo.

— Claro que era.

— Era um pouco a carta do Joaquim de novo.

— Era suicídio.

— Não sei por que ele se interessou.

— Tu acha que ele vai machucar a Lulu?

— Eu não posso salvar todo mundo.

— Mas tu acha que ele vai machucar a Lulu?

Ela me olha. Pela primeira vez, sei que a mãe sabe tanto quanto eu. Os sussurros são nossos. Ficamos nos olhando. Naquele mesmo dia, achamos um baralho incompleto de Uno. Jogamos com ele. À noite, usamos pra fazer fogo. É ruim, porque fede a plástico e a fumaça é escura.

— A gente devia ter ficado jogando — digo, tossindo.

A mãe ri. Olho o mar. Ainda faz *vush, vush*, como o Baleia. Olho o Baleia. O corpo dele parece uma bolacha que ficou fora do pacote muito tempo. As barbatanas caídas. É um peixe torto, cansado. Faz um *vush, vush* meio lento, na verdade mais um barulho de sucção agora. Pegajoso. Cada dia em que acordo e o Baleia segue vivo é uma surpresa pra mim. A mãe não me fala mais pra jogar o peixe fora.

Talvez por estarmos cada vez mais longe de áreas povoadas ou pela falta do que fazer, a mãe tem falado mais comigo. Talvez ela sinta que o tempo é curto. Talvez tenha se dado conta daquilo que tio Quincas se deu conta e eu não tinha me dado conta ainda, quando era criança. Eu acho que ela entendeu que não vai ficar velhinha numa casa e contar a história de vida pros netos todos.

Em algum momento, ela fala da dissertação de mestrado dela. Depois, me explica o que é ensino médio, graduação, mestrado, doutorado, pós-doc. Ela me explica que conheceu meu pai na graduação. E que começou uma pesquisa ainda no trabalho de conclusão de curso.

— Mas, no mestrado, eu já gostava de outros temas. Aí achei o tema que me interessava. Neurologia infantil, no caso. Achei neurologia infantil.

— E o pai?

— Seu pai sempre gostou de outros temas, Murilo. Nunca foi focado.

— Ele fez mestrado?

— Não até onde eu saiba.

Quero perguntar mais dele. Mas ela volta a falar da dissertação, sobre crianças com transtorno de personalidade borderline. Ela me explica as conclusões, e eu tento repetir. É importante pra ela que eu lembre. É importante pra mim. Variações químicas no cérebro, sinapses, distúrbios do desenvolvimento.

— Foi uma pesquisa e tanto, Murilo. Uma pesquisa e tanto. A banca disse que estava tão bem escrita que deveria virar livro.

— Um livro?

— Você consegue imaginar? A dissertação da sua mãe numa livraria?

Ela sorri e olha pra cima. Faz tempo que não olha pra cima. Noto que a mãe já foi uma mulher bonita, mas a magreza não ajuda. Os ossos parecem agredir a pele.

Quando vamos nos esconder nos restos de um acampamento, a mãe encontra um pacote de absorvente e despenca em lágrimas. Ela os guarda na mochila.

— É engraçado — minha mãe diz. — Meses atrás, eles teriam sido tão úteis. Agora, eu só penso que talvez ajudem com ferimentos, ou sei lá.

Por meia hora, a mãe me fala de menstruação. Fala do sistema reprodutor feminino. Me conta de útero, ovários, remédios pra cólica. Explica que o atraso na menstruação em outros momentos poderia significar gravidez.

— Mas agora provavelmente é só porque me falta tudo na alimentação. Agora… agora. Acho que não.

— Acha que não o quê?

— Acho que não é gravidez, ué. Como ia ser?

— Verdade.

Ela me olha. Fala de macronutrientes, vitaminas, ciclos e mais ciclos. Fala que mesmo que estivesse grávida já teria abortado, por causa dos macronutrientes, vitaminas, ciclos e mais ciclos.

— Você precisa aprender essas coisas, Murilo. Isso é da natureza humana.

Me lembro do Mateus. Ele falou uma vez de hábitat natural. Qual seria o hábitat natural de um ser humano? Hábitat natural é uma expressão estranha. Minha mãe continua falando enquanto penso isso. Ela me conta que bebês vêm de sexo. Eu já sabia isso. Já me disseram na escola, e a tia Sônia disse que não pode chamar de "piu-piu" ou "pererreca". Era pênis e vagina, ela disse. A gente não era mais criança, disse a professora. Mas todo mundo era bem criança naquela época.

A mãe e eu discutimos. Ela acha que eu sou muito novo pra ficar de guarda. Eu digo que ela precisa descansar. A mãe diz que eu sou muito novo. Eu digo que ela precisa descansar.

Novo.

Descansar.

Novo.

Descansar.

Então em alguns momentos eu fico acordado enquanto ela também está. Mas quieto. Às vezes, ela pega no sono. Aí eu fico acordado. Mas finjo que estou bem quando acordo. Eu finjo, ela finge.

Mas tem uma vez em que eu durmo. Abraçado no meu revólver. E no Baleia. Que fica vusheando. Porque não é mais *vush*, *vush*. É lento. Vusheaaaando. Que nem naquele filme antigo, que um personagem fala baleiês, tipo em câmera lenta. Mas quando eu acordo tem um bicho um pouco na frente. Faz barulho ao andar. Revira os restos de uma fogueirinha de livros de capa dura. E minha mão treme. Um tiro. Morre, por favor. Morre, pelo amor. Levanto. Tiro. Tiro. Morre. Morre, merda. Imperativos, como tio Quincas gosta.

E corro até minha mãe. E antes de chegar paro. Tem três corpos secos devorando a mãe. Eu quero dizer muita coisa. Quero mandar todos esses lixos tomar no cu. Eu quero dizer tanta coisa. Quero matar um por um. Mas só tenho três balas. Mãe. Eu fico. Mas eu sei que o barulho dos tiros. As balas estavam na mochila dela. É perigoso demais. É um corpo seco. Já bem seco. Com ares de árvore queimada, um galho que vai quebrar e fazer um barulhão. Uns mofos estranhos que não entendo. Foi uma mulher em algum momento. Já anda na minha direção. É lento. Ou o mundo é lento e vusheante.

Como se as frases não pudessem ir mais pro presente. Como se as palavras fugissem do jeito que eu fujo. Só se movendo pro futuro. Rápido. Correr. Como se um Tupperware nos braços. Como se correr sem olhar pro bicho. Como se o que eu não vejo não pudesse me ver. Correr.

Como se. Como se correr. Como se continuasse. Como se acampar. Correr. Dormir. Achar comida. Como se roubar as camisetas de um corpo na estrada. E fazer uma mochila. Como se correr. E pra onde eu iria? Eu iria. A mãe disse Florianópolis. Correr.

O Mateus? Pode ser. Correr.

A vó das meninas? Se lembrar.

Quem mais?

Correr.

Quem mais?

O pai?

Onde ele estava?

Mas como se. Não tivessem inventado um tempo verbal pra quão imediato tudo é. Agora. Correr. Só agora. Como se eu conseguisse muito. Mas com pouco. Porque. Agora eu sou pequeno. E fujo de um grupo de pessoas. Porque eu não sei quem são. Porque eu nunca achei que ser criança me fizesse uma presa. Mas errei. Pai. Ah, se errei. Porque sigo uma caravana. E reviro lixo. Mas mais sigo uma caravana. Porque acho um mapa meio queimado. Porque as pessoas são burras, Mateus. Adultos são imbecis. Porque se.

Porque eu chego numa ponte. E nunca achei que ser criança fosse uma vantagem. Mas eu errei. Porque crianças passam por entre pernas. Porque pernas são de soldados. Com facilidade. Busco alguém. Por favor. Mateus. Porque a gente finge que está com o adulto enquanto ele conta. Como no mercado, quando a gente se separa, depois pega uma mão solta achando que é a da mãe. Uma história. A gente finge que pega uma mão. Enquanto um adulto discute com o guarda.

E se eu for pego? Eu sou criança. O que é bem esquisito. Mas passo pela ponte. Pelos guardas. Porque eu sou criança. Porque criança nem tem documento mesmo. E ser criança é melhor que ser adulto. Porque ninguém me vê e. Se alguém me ver. Eu posso chorar. Todo mundo protege as crianças. Protejam as crianças. Grávidas e crianças. Mas as crianças sabem.

Eu sou uma criança com um peixe. E uma criança e seu peixe podem sentar na beirada de uma ponte. Em Florianópolis. Que eu nem sei bem onde é. O mundo é grande. O oceano. E olhar o oceano. A água. O mar. Qualquer que seja a palavra. Olhar a água suja. É muita água. É muita sujeira. Que fede.

Quem me dera ser um peixe. Tudo em ondas. Olhar um corpo que poderia ser minha mãe passar flutuando no mar. O Cauã. A Alessandra. Que nem os peixes soldados de guarda. A Luciana. O Levi. A Zita. A Pilar. A Camila. O Danilo. O Joaquim. O Pancho. O Roliço. A família de guardiões do Baleia. O Dante. Eu nem me lembro das caras. Todos em ondas. Todos ondas. E todas as ondas.

E abrir um pote Tupperware. Como se não houvesse tempo. Nem verbal. Tempo verbal que. Como se quem me dera o peixe. E liberar uma Baleia. No seu hábitat natural. No pretérito mais que perfeito. Eu sou uma criança. No seu hábitat natural. Porque um peixe. Está no seu hábitat natural.

Constância

Não consigo me livrar da imagem do meu irmão abrindo a porta do carro e deixando o corpo cair no asfalto. Eu acho que devia estar a uns cem, talvez noventa quilômetros por hora. Não consigo tirar da mente a máscara de morte que tinha na cara. Por quê, Conrado? Caiu. E logo se pôs em pé. Acenou ainda. Acelerei. Freei. Acelerei de novo. Conrado, por quê?

Conrado é muito dramático, pensei. Ele então me mostrou os cogumelos brotados no ombro. O que a gente faz numa hora dessas? Uma vez, com minha turma de mestrado, num tempo distante desse aqui de catástrofes e seriedade, conversávamos sobre o tal apocalipse. Cogitávamos cenários, como seriam as criaturas e de que maneira as pessoas sobreviveriam. Ricardo disse que tentaria conversar com os mortos-vivos, entender o que se passava com eles. Aline disse que ele seria o primeiro a morrer. Não sei o que pensar.

Agora, olhando para trás, acho que todo mundo notou que o Conrado tava esquisito. Ninguém quis admitir. Talvez o enjoo do Conrado fosse com o nosso cheiro, talvez fosse... como é que eu vou saber? Eu preciso muito de uma daquelas garrafas de vodca agora, mas também preciso muito chegar em Floripa. Peguei a estrada errada e acabei em Garopaba. Eu não sei dirigir nessas estradas de merda. Vou ter que parar pra ver a merda do mapa de merda.

Fomos de Arroio até Morro Grande e depois pegamos a sc-100 pra ir pela praia, porque pela praia nunca tem ninguém. Tinha gente, mas bem menos que na br-101. Parecia um dia comum. Corpos secos e pessoas convivendo em darwiniana harmonia. Paramos em Imbituba e depois o Conrado se foi. O Conrado se foi, porra. Entre Imbituba e Garopaba. Preciso voltar pra porra da 101 pra sair dessa merda de bosta. Se a Lena me ouvisse agora, se estivesse aqui pra me ajudar, não ia querer me beijar, porque ia dizer que minha boca está cheia de merda. Por que ela não tá aqui pra ver o que é uma merda de um país descontrolado? Cadê a porra da garrafa? Não vai ter ninguém pra fazer blitz e bafômetro. Foda-se. Lena, pode me beijar agora, porque vodca é antisséptico. Vodca é um desinfetante natural. E vai bem com chocolate, que eu também tenho na mochila. E que deve estar mole, porque eu fui comendo um por dia. Todo mundo sabe que Bis tem que comer tudo de uma vez porque senão fica mole. E tá mole mesmo. Mas com esse destilado maravilhoso não importa muito. Obrigada, Rússia. Obrigada, Polônia. A pandemia de corpos secos não deve ter chegado aí. Vocês no máximo devem ter uma infestação de corpos congelados. Eu congelaria Conrado. Mas não o Conrado calado, o Conrado com olhar fixo no nada. Esse, não. Eu congelaria o Conrado escolhendo rímel sem crueldade. Congelaria VeganeX.

Tu lembra da tua estreia? Tu tava tri nervoso. Mas, conforme foi se montando, a tensão na tua cara de guri sumiu. E aí tu virou a espalhafatosa VeganeX Trava Ganza. Tu fez uma performance maravilhosa de "Born to be alive". *É bom mesmo estar vivo!*, tu disse. *Dizem que os olhos são as janelas da alma. Olha essa cortina de cetim!* E piscou com os longos cílios postiços. *Não passa nada por aqui.* Não riram muito. Na outra piada, só eu ri. Ri muito, tu lembra? Me olharam feio. Eu só queria te ajudar, ajudar a Vegana, toda *Poison Ivy. Padaria fitness é um novo conceito em padaria aqui da cidade*, lembra da história? As piadas começaram a ganhar o público e de repente estavam todos rindo. Tu perdeu a mão quando fez uma piada de gordo. Odiei. Queria te trucidar. A Lena não achou engraçado. Mas as pessoas riram. Até as pessoas gordas riram. Terminou o show com "Marcia Baila". Que ideia terminar o show com uma música francesa, dos anos 80 sobre uma mulher que morreu de câncer. Ninguém entendeu nada, ninguém conhecia a música. Só um senhor muito afetado, que no fim do show veio falar com a gente em francês, na salinha que servia de camarim. E tu disse que não falava francês, bicha mentirosa! O homem ficou decepcionado, mas se animou quando tu aceitou o convite para ir pra casa dele. Isso era engraçado em ti, Conrado, nunca falava muito dos relacionamentos, nem de sexo nem de nada que tocasse sexualidade. *Porque tu é minha irmã, Constância!*

Enxugo as lágrimas e a garrafa. Tenho certeza de que não tava nem na metade. Quando consigo achar a 101, o carro engasga e vai afogando até parar completamente no acostamento.

— Merda.

Pego a mochila, o revólver, verifico as balas, retomo a faca de cabo de osso do pai da Rosa e deixo à mão. Olho o porrete, acho que não vou levar, mas levo, penduro na mochila, gente bêbada não tem muito discernimento, esfrego bem o sabão da mãe em toda a pele e arranho a barra pra ficar com ele debaixo das unhas. Mastigo um alho, tenho a brilhante ideia de enfiar alhos na garrafa de vodca, mas é gargalo brasileiro. Atravesso no peito a alça da ecobag com as coisas da mãe, e lembro que tem trinta dessas em casa. É muito peso, mas gente bêbada desenvolve uma força anormal. Conrado, tu podia fazer um vestido só de ecobag, acho que seria um sucesso, seu veado idiota, por que me deixou sozinha? Vai, Constância. Volta, Constância. Na mochila do Conrado deve ter mais coisas. Abro a porta do carro, abro a mochila. Tem mais coisas. Frutas secas, frasco de pimenta, kit de primeiros socorros e não, Conrado, tu não fez isso: uma carta. Não vou ler essa porra agora. Ponho no bolso.

Puxo o revólver imediatamente quando vejo um aglomerado de gente bem no meio de um canteiro, brigando pelo que parece ser uma... engrenagem enorme? Que porra estão fazendo? Chego perto, agacho atrás de um muro de entulhos e escombros. Eles parecem estar imóveis. Cretinos, podem estar esperando eu fazer um barulho, podem estar esperando eu atravessar a rua pra me massacrar. Continuam imóveis, e então eu vejo a placa que era do Rotary Club. Que mal gosto. Corro. Esqueci o mapa e não sei que bosta de estrada pegar. Pego a secundária. Em geral, as secundárias são mais próximas à costa. Palhoça. Só tem borracharia e frango assado nessa estrada. Podia comer um frango assado inteiro. Caralha, tem um posto ali na frente. Sempre dá merda perto de posto.

— Ei! Não vai por aí.

De trás de um contêiner um grupo de mulheres me faz sinal. Vou até elas.

— Tá indo pra Floripa?

— Tô. Vocês?

— Também, mas vamos pela costa. Só que tem um grupo daquelas coisas um pouco mais à frente. Viemos pra rota pra ver se achamos um carro. Não sei se vai rolar.

— Vocês têm um mapa?

— Sim.

Elas tinham idades distintas, mas não pareciam ser família, sei lá. A de cabelo branco virou o mapa pra mim. Disse que o ideal era traçar um caminho e tentar mantê-lo. Também disse que ir pela costa seria ruim, por conta das baías.

— Vamos caminhar em dobro se formos pela costa. O ideal é daqui — ela fincou o dedo no mapa e arrastou em arco — até aqui.

— Então a gente tá no centro de Palhoça?

— Isso.

— E quanto dá até a ponte?

— Na verdade, a primeira triagem fica na br-282 mesmo, mas antes da ponte, em Coqueiros. Deve dar uns quinze quilômetros.

— Um pouco menos.

— Desculpa perguntar, mas que cheiro é esse?

— Ah, minha mãe faz um sabão que meio que afasta as coisas.

— Sério?

— Como ela sabe?

— Ela tem sobrevivido. Mora em Arroio do Silva.

— Dizem que o Rio Grande do Sul foi devastado.

— Não sei dizer, mas é possível. Peguem aqui.

Ofereci uma barra para que se esfregassem e mostrei como fazer. Pensei em descascar um alho e dar a elas, mas depois eu ficaria sem. Não dei. Senti uma ponta de remorso quando me ofereceram água e comida.

— Eu me chamo Constância, como é o nome de vocês?

— Eu sou Lili.

— Mirna.

— Roberta.

— Camila.

Eu era péssima de memória e não era o fim do mundo que me faria colar aqueles nomes às mulheres certas. Mesmo assim, repeti: Lili, Mirna, Camila e…?

— Roberta. Beta, se preferir.

— Massa. Eu sou Constância.

Meu irmão acabou de se matar, ele foi infectado, nunca conseguiria terminar o caminho comigo, porque ou ia se matar ou me matar. E se matou, como eu já disse. Ou morreu. Ou virou uma dessas coisas mortas horríveis. Não quero ter que escolher. Prefiro a morte natural. Dizem que gêmeos podem sentir tudo o que o outro sente, que há uma conexão genética, que também é energética e espiritual, se vocês acreditam em espiritualidade. Eu estou em choque, talvez isso seja estar em choque, mas não sinto mais meu irmão. Tenho uma carta dele no meu bolso, provavelmente é uma carta de despedida.

Elas me olhavam como se esperassem alguma resposta.

— Desculpa, eu não tava ouvindo. Desculpa mesmo, é que… podem repetir? Eu tô exausta.

— Claro. A gente pensou em fazer esta rota aqui.

Mirna fez o arco novamente no mapa, agora mostrando as ruas. Acho que é local.

— Vocês são daqui?

— Sim. Só a Camila que não.

— Eu sou de Lages.

— Tu chegou aqui sozinha?

— Cheguei. Mas não saí sozinha. Muita gente ficou pelo caminho, não sei como foi com vocês.

— Muita.

Ficamos quietas por algum tempo. Talvez fazendo alguma prece ou coisa que valha aos nossos mortos.

— Mas parece que lá na frente tem bastante gente. A primeira triagem é bem antes da ponte.

Na primeira tentativa de seguir o trajeto proposto fomos parar numa rua comprida e estreita com muitas casas de um lado e mato do outro. Eu disse que aquele caminho não parecia ser uma boa ideia e que preferiria andar por lugares que fossem mais abertos.

— Ela tem razão.

— Vamos pela outra, então, é ampla e ainda tem ciclovia. De todo modo, vamos precisar passar pela ponte.

Quando conseguimos retomar o caminho da avenida, encontramos mais gente andando, parecia que uma procissão se formava. Todos estavam desconfiados. Trocamos poucas palavras com poucas pessoas, mas faziam questão de te olhar de cima a baixo, pra ter certeza de que quem estava ali, em marcha, era vivo.

Mais perto da ponte começaram a aparecer carros e gente. O rio que passava ali fedia. Descobrimos logo que havia uma pré-triagem. Sob um gazebo, carros da polícia militar e oito homens armados até o cu miravam lanternas nos olhos das pessoas e davam tapinhas nas costas autorizando a passagem. Ao redor, uma estrutura de barracas, barricadas e farrapos da bandeira do Brasil escondia mais homens armados. Até que ouvimos um tiro.

Vimos uma mulher desabada no chão. Dois homens, que não estavam fardados, saíram de trás do carro, para com muita destreza jogar o corpo no rio. Camila engasgou umas palavras.

— O quê?

— E se não for uma boa ideia? E se isso de Florianópolis não for uma boa ideia? E se for uma armadilha? E se resolvem nos matar ali na frente, antes de entrar?

Mirna arrastou Camila pelo braço e disse que não ia acontecer nada. Olhou o policial com os olhos mais vivos do mundo. E passamos.

Quando chegamos ao final da ponte, Mirna largou Camila e deu um tapa na cara dela.

— Eu não vou morrer. Não vou ficar pra trás. Eu não vou ficar presa com alguém que tá em pânico, que não sabe o que fazer. A partir de agora, toda vez que tu fizer isso eu vou te arrastar e depois vou te dar na cara. Entendeu?

Lili separa as duas.

O resto de nós fica quieta.

Camila regou uma semente já instalada na minha cabeça: será que é uma boa ideia? Florianópolis não comportava nem os próprios habitantes. A gente nunca ia passar férias lá porque sempre faltava luz, água, comida, papel higiênico. E gasolina. Engraçado que a falta do papel higiênico era menos sentida do que a da gasolina. Enfim, em dias normais já não era fácil. Como será que a triagem está sendo feita? Quais são os critérios? Quem são aquelas pessoas? Posso mostrar os produtos e dizer que sou engenheira, talvez isso tenha algum valor.

A partir daquele ponto, a peregrinação parecia estar mais organizada. As pessoas andavam em pequenos grupos e respeitavam um ritmo que me fazia lembrar uma boiada. A ideia me deu um arrepio que se alastrou pelo meu corpo todo.

Até a primeira triagem de fato, tínhamos mais uns cinco quilômetros para andar. Chegando em outro ponto de checagem, todos estavam sendo desviados para a BR.

— Por que não podemos seguir por aqui? É mais perto.

O homem fardado não nos olhou, mas disse:

— Ordens superiores. Eu só cumpro.

Ele me empurrou para o lado com o cabo do fuzil. Minhas pernas amoleceram. Um pouco antes de chegar na BR, tirei a garrafa de vodca da mochila, a segunda, e tomei mais um gole. Abri um leite condensado e espirrei na boca. As gurias me olharam como se eu fosse uma criatura bizarra.

— Me dá um gole.

— Claro.

Lili cuspiu tudo em Beta.

— Não é água.

— Não, é vodca.

— Pensei que era água.

— Por que eu colocaria água numa garrafa de vodca?

— Sei lá.

— Ah, eu quero um gole.

Mirna bebeu um bom tanto. Não tossiu. Não fez cara feia. Passou a garrafa de volta pra mim sem olhar pra ninguém. Olhava para a frente. E só.

Andamos por uns vinte minutos em silêncio.

— Constância, o filho mais novo da Mirna tá lá. Ele tava com os tios na ilha. Não deixaram mais ninguém sair.

— Se tem uma coisa que eu detesto é gente linguaruda, Roberta.

Aquela discussão não pôde ir adiante, porque logo à nossa frente uma aglomeração começava a tomar corpo.

— O que é isso?

— A fila.

— Que fila?

— Pro exame de entrada.

— Aqui? Mas ainda tá muito longe da ponte!

— Tá, gurias. Tô achando tudo muito estranho. Não sei explicar, mas por que estariam chamando a gente pra ir pra uma ilha que não suporta nem os próprios habitantes?

— Porque é um lugar livre de contaminação. Porque aparentemente há recursos. Porque estão sendo rigorosos no controle de entrada pra não deixar qualquer um passar. Porque ali não tem vagabundo come-gente. Porque é o único lugar que a gente tem pra ir até recomeçar. Tu quer que eu continue? Porque posso dar mais algumas razões.

Mirna olhou feio pra gente e continuou a falar até que me irritei. Fui indo em direção à costa.

— Eu vou por ali.

— Claro, porque obviamente a polícia, a Marinha, o governo e o controle de doenças estão errados e você está certa. Foi um prazer te conhecer! Nos vemos lá, hein? Ah, não, espera, acho que não. O que vocês têm na cabeça?

Lili começou a caminhar em silêncio ao meu lado. Camila e Roberta ficaram paradas ao lado de Mirna. Senti que queriam vir, mas não deixariam a amiga sozinha. Eu não sei. Chegando ali, naquele território seguro, eu me sentia estranha. Comecei a sentir outro tipo de medo. E raiva. Algo que me lembrava de tempos passados.

Não foi difícil chegar no primeiro ponto de checagem. Quando nos perguntaram por que não tínhamos passado pelo exame nem pela fila na BR, apenas dissemos que tínhamos vindo por uma estrada vicinal e que não sabíamos de nada do funcionamento daquilo. Eles se afastaram da gente para discutir entre si, erguendo as sobrancelhas e entortando as bocas. Um deles batia repetidamente na coxa, como se estivesse preocupado. Eles não pareciam saber o que estavam fazendo, não pareciam ter protocolos. Ou, se tinham, talvez não os estivessem cumprindo direito. Não sei. Não quis ficar olhando muito. Nos encaminharam para as filas seguintes sem muitas explicações. Não vimos nenhuma das gurias. Talvez já estivessem a caminho da ilha. Talvez não.

Tinha um buraco no meio da ponte. Não se conectava com a ilha. A travessia era feita por balsas, barcos e lanchas num píer montado perto da ponte antiga. Alguns policiais supostamente militares estavam de jet ski ou em barcos a remo. Nas praias de dentro, navios da Marinha faziam a guarda. Dessa vez vi, além de homens, mulheres armadas até o cu. E muitas médicas. Acho que eram médicas, estavam de branco e pareciam examinar as pessoas. Na verdade, era impressionante que a quantidade de mulheres ali fosse tão maior que a de homens, entre refugiados e equipes. As pessoas armadas eram, na maior parte, homens. Senti que meu medo crescia, mas ignorei. Atribuí à minha perene ansiedade.

— Quer um chocolate, Lili?

Ela não falava muito, mas a vi observar com olhos muito arregalados um dos postos de travessia. Continuavam matando as pessoas que supostamente estavam contaminadas. Empilhavam a gente morta, viva ou morta-viva dentro dos camburões e mandavam atravessar a avenida em direção ao que parecia ter sido uma escola um dia. Numa torre encardida ainda se podia ler: INSTITUTO FEDERAL SANTA CATARINA. E: CAMPUS FLORIANÓPOLIS CONTINENTE. Balancei a cabeça, mas a conclusão veio muito nítida. Talvez não tivessem muitos critérios para matar. Percebi que o cheiro mais intenso de churrasco vinha dali e entendi o que estavam fazendo.

— Constância...

Lili deu um longo suspiro.

— Acho que...

E outro.

— Não é uma boa ideia.

Parei.

— O que a gente faz?

— Não sei. Podemos voltar?

Dei um giro lento, tentando buscar algum caminho. Avistei um menino sozinho. Tinha algo nas mãos, um pote. Estava sentado no meio do nada. Abri a mochila e acenei pra ele com a caixa de Bis. Ele se levantou e veio em nossa direção.

— Quer chocolate?

— A minha mãe disse pra eu nunca aceitar nada de comer de uma pessoa que eu não conheço.

Me agachei.

— Meu nome é Constância e essa é a Lili. Qual é teu nome?

— Murilo.

— Muito prazer.

Estiquei a caixa e ele pegou dois Bis de uma vez, abriu e enfiou na boca.

— Tá molenga. Acho que tá velho.

Ele engoliu. Me olhou:

— Tu conhece o Mateus?

— Não.

— É que ele ia me trazer exatamente esse chocolate.

— Quem tá contigo aqui?

— Agora ninguém, mas antes tinha o Baleia. Eu joguei ele no mar, lá na frente.

— Quem é o Baleia? — Lili perguntou.

— Meu peixe. Agora ele tá no hábitat natural dele. No pote ele tava ficando molenga também. E não tinha espaço. Antes ele fazia *vush, vush,* como ele gostava. E tinha os guardiões. Mas no hábitat natural um peixe pode viver bem mais que num pote.

O menino ficou encarando o pote vazio. Eu concordei com ele. Ele repetiu mais uma vez as palavras hábitat natural, depois contou que achava que a cauda do peixe fazia esse som e que tudo deveria soar diferente embaixo d'água. Não sei se era meu coração mole me fazendo delirar, mas aquele menino me lembrava muito do Conrado quando pequeno.

— E como tu chegou lá na frente?

— Por um caminho.

— Um caminho?

— É, ué.

— Pode mostrar pra gente?

— Vem.

Mais uma vez não foi difícil sair da estrada e chegar à beira, o que me fazia pensar que aqueles policiais e militares talvez não fossem tão bem treinados. Mas não seria nada, nada fácil, chegar a qualquer lugar que valesse a pena, sem passar por algum ponto de triagem ou dar de cara com algum sujeito armado. Não tinha como ir pela água, o mar de dentro estava cheio de navios, barcos, lanchas, tudo. Também não dava para atravessar aquilo a nado; até onde eu sabia, ninguém ali era atleta. Só que quando o guri puxou minha camiseta e apontou pro mar, eu não consegui acreditar. A Lili já estava dando braçadas cada vez mais vigorosas e indo para bem longe da costa. Ficamos na beira, vendo.

Até que uma voz, vinda de algum lugar, disse que qualquer corpo ou elemento estranho que estivesse em área proibida ou dentro da água, qualquer elemento estranho que estivesse tentando se aproximar da ilha ou de algum veículo aquático sem autorização, seria alvejado. Sem mais.

Nem sei de onde veio a voz. Do céu, parecia. Dei as costas para a água. Peguei o menino no colo e fui andando cada vez mais rápido de volta para a estrada. Apertei seu corpinho contra meu peito. Estava magro. Magro demais. Lembrei as duas crianças na saída do túnel.

— Não vou te deixar aqui sozinho.

Ouvi dois tiros que pareciam ter acertado. Não corri. Andei rápido apenas, com a mão na cabeça do menino, por instinto, acho. E ouvimos.

— Parem imediatamente. Parem imediatamente ou vamos atirar.

Eram quatro.

Quatro homens armados para uma mulher e uma criança.

— Ponha a criança no chão e andem separadamente devagar até nós, compreenderam?

— A gente se perdeu — gritei.

— Ponha a criança no chão!

— Guri, eu vou te largar e tu faz tudo o que eles mandarem, tá? Tá legal?

— Tá — ele disse. — Já me acostumei.

O menino soou incrivelmente adulto.

— Não vai acontecer nada se obedecermos.

— Eu sei. Sou criança.

A frase pesou na minha língua e desceu num amargo espesso até o fundo da goela.

Caminhamos lado a lado com as mãos erguidas, espalmadas à frente do corpo, de cabeça baixa, tudo como mandaram. O guri me imitava. Andamos até onde os supostos soldados estavam. Eu queria dizer pra ele que ia ficar tudo bem, mas tive medo de abrir a boca.

— Larga o que tem na mão, piá.

— Não.

— É só um pote. O peixe dele tava dentro. Ele foi...

— Cala a boca.

— Deixa aí no chão.

Dois estavam na grama; dois olhavam de dentro de um caminhão e gritavam as ordens.

— Larga, guri — eu disse —, por favor.

Ele pousou o Tupperware no chão com cuidado. O homem o arrastou pelo ombro para longe de mim.

— É meu irmão, é meu irmão!

Nem sei por que eu disse aquilo. Me mandaram deitar na grama. Eu deitei. Um dos homens arrancou minha mochila, me virou e jogou uma luz nos meus olhos. Vi, de relance, que o outro me apontava um cano.

— Levanta.

Levantei. Falavam entre eles e talvez por um rádio. Abriram minha mochila. Beberam minha vodca. Pegaram a última caixinha de leite condensado. E só depois de algum tempo perguntaram:

— Pra que tanto tempero? Tá achando que tem MasterChef aqui?

Eles riram.

— Ela acha que é a fila de inscrição.

Riram mais. Era tão ofensivamente sem graça.

— Ela vai preparar boizão com ervas finas.

— Farofa de morto-vivo.

Riram alto.

— Espetinho de... de...

O cara não conseguiu completar, e os outros reviraram os olhos. Jogaram tudo no chão e estavam prontos pra pisotear.

— Ah, e tem sabonetinho pra ficar cheirosinha. Quem sabe aí, ó?

Riram.

— Não é sabonete. É... remédio, defesa. Aquelas coisas odeiam temperos. Odeiam o cheiro disso. Não chegam perto.

Eles detiveram seus coturnos. Se aproximaram novamente.

— Como tu sabe?

— Porque eu já usei.

Me olharam desconfiados. Depois dei a carta certa.

— Sou engenheira de alimentos, fiz pesquisa nisso.

— Na base?

— Onde?

— Lá em casa — o guri veio ao meu socorro.

— Onde? — perguntaram a ele.

— Santa Maria.

— Vocês eram da base?

— Sim.

— Levanta, então. Entrem aí no caminhão.

No caminho, fiquei pensando como eu poderia continuar aquela mentira e se o guri poderia dar conta do teatro sem combinarmos nada. Talvez a necessidade nos deixasse mais atentos. Sacudimos no camburão até uma avenida, então pude ver, pela pequena janela, que passávamos pela fila e pelas triagens toscas. Vi mais bandeiras esfarrapadas verde e amarelas cobrindo cavaletes, além de uma faixa onde se podia ler a frase A NOVA ERA COMEÇA AQUI pintada toscamente. Um pouco para trás da faixa, na outra pista, supostos soldados faziam churrasco e tomavam cerveja de latão, alguns já meio escorados em outros cavaletes com mais bandeiras esfarrapadas. Bem assim. Estranho assim. O guri pegou minha mão. Senti uma ardência nas narinas, mas engoli o choro. Devia ter ficado na mãe. Quem sabe não dou um jeito de voltar com o guri pra lá? Pensei no Conrado. Até que chegamos de novo no mar. Uma lancha nos esperava. Faríamos a travessia. Isso era certo.

ESTA OBRA FOI COMPOSTA PELA ABREU'S SYSTEM EM ADOBE GARAMOND
E IMPRESSA EM OFSETE PELA GRÁFICA BARTIRA SOBRE PAPEL PÓLEN SOFT DA
SUZANO S.A. PARA A EDITORA SCHWARCZ EM MARÇO DE 2020

A marca FSC® é a garantia de que a madeira utilizada na fabricação do papel deste livro provém de florestas que foram gerenciadas de maneira ambientalmente correta, socialmente justa e economicamente viável, além de outras fontes de origem controlada.